書の風流

近代藝術家の美学

根本 知

書の風流

近代藝術家の美学

根本知

はじめに

松田正平◉書と原点……11

熊谷守一◉書と心象……31

柳宗悦◉書と用……55

白井晟一◉書と常……77

中川一政◉書と遅筆……103

高村光太郎◉書と造型……131

武者小路実篤◉書とことば……157

おわりに

はじめに

鏡にはうつらぬ人のまごころもさやかに見ゆる水茎のあと

水茎とは古来筆跡をさす。書には鏡にはうつらない心が見えるといったこの歌は明治天皇の御製によるもの。上手下手だけで書を見るのではなく、書き手の心も見えてくるのが書だということをこの和歌は教えてくれる。

ことわざに「仏作って魂入れず」というものがあるが、振り返ってみると今までの私の書道人生はまさに仏像の作り方ばかり学んできたように思う。それは、筆法や造形など技術面を中心としたものだったため、ここでいう魂の入れ方については考えなかった。というより、魂や心というものは自然と付加されるものだと思っていたし、歳を重ねれば勝手に深みが増すものだと安易に考えていた。ところが、作品化を急ぐ日々を送っているうちに、はたして誰もが良いと思える文字のかたちはあるのか、はたまた「読めない」と一蹴する知人などの感想に悩み、それによって迷いが生じてしまった自分がいた。これでは心を込めるどころの話ではない。
　そんな折、新聞の朝刊を見ていると歴史社会学者、小熊英二氏の時評が目に飛び込んできた。

――「ある物体の正体を探るとき、「あれは円だ」と決めつけるのは危険である。「あれは円ではなく三角だ」という批判も取り入れないと、「実は円錐だった」という真実に至れない。

　これは調べてみると哲学者ヘーゲルの弁証法をもとにしたものだったが、そのときの自分は、多角的に捉えることで見えてくる新たな視点というものがあるのかと、衝撃を受けた。書の魅力は技術面だけではないのかもしれない。書かれることば、ひいてはなぜそのことばを書くのかを考えることで書の世界は広がっていく。ということは、ことばと造形、その両面を捉えることによって「心」は立体的に浮かび上がってくるのではないか、私はそう仮定した。
　昭和期に猪熊弦一郎という画家がいたが、あるとき自身の作品を携え、憧れのアンリ・マティスのもとを訪ねた。だがそのとき、マティスに「きみの絵はうますぎる」といわれ、つづけて「対象を深く見つめることなく、ただテクニックで描いている」と指摘されたという（『猪熊弦一郎のおもちゃ箱』小学館より）。これは「仏作って魂入れず」と通ずる。

この視点を持ってヨーロッパの水道技術に目を向けたい。街中にある泉や噴水は、力学などのテクニックによって水を制しようとする試みだった。重力と流動性、すなわち無定形性と向き合い、水流の移動の可能性を広げる。さらには、透明性なども加味するという。泡立ちながら奔流する水の落下や、飛沫をあげる滝。高い水柱となって噴き昇る噴水、そして鏡のような水面。これらを整えることができた技術は、まさに近代化のシンボルともいえるものだった。このように見ると水流というのは文明の進化のイメージとともに、作為というのも伴ってくるように思う。

一方、風の流れにはそれがない。此度、著述を試みるにあたって題名をどうするかを考えていたときに「風流」ということばが頭に浮かんできた。まずはその歴史を追ってみたい。

あしひきの山にし居れば風流《みやび》なみわがするわざを咎めたまふな

詠んだのは万葉集撰者、大伴家持の叔母にあたる坂上郎女。この和歌は聖武天皇に献上したもので、山にいたので自分の振る舞いがみやびでないが咎めないでほしいと言い訳したものだ。「みやび」というのはもともと「宮び」、つまり宮廷風や都会的という意味を表した。この歌からもわかるように、日本の「風流」ははじめ日本語における「みやび」にあたるものだった。

しかし中世になると、そこに中国の「風流」の概念が入ってくる。それは隠者こそ風流の代表者だという思想であって、知的で文化的、そして脱俗の世界で生きるのが理想だという考え方だった。隠者文学や数寄者の概念がその影響によって生まれたが、中国でははじめ好色の側面も少なからず含まれていた。それは道教の影響によるもので、仙女と戯れる生活が「風流」とみなされていたからだった。けれども、しだいに隠者の風流がそういった要素を排していったため、その後は「清風」の要素こそが「風流」の中心となっていく。

この「風流」を得るためにはどうしたらよいか。かの松尾芭蕉は、「わが門の風流を学ぶやから」（遺語集）と前置きをし、「心を正して俗を離るる外なし」と断じている。たとえるならば、「夏炉冬扇のごとし、衆にさかひて用る所なし」だという。心を正して俗世を離れること、それは夏の炉や冬の扇のような一見役に立たなそうなものになることが肝要だと芭蕉は説いた。

また、『「いき」の構造』（岩波書店）の著者、九鬼周造も風流の理解のためにはまず「離俗」を挙げている（「風流に関する一考察」）。そして風流の本質を「風の流れ」と捉えて、水の流れというのは流れる床の束縛があるが、風の流れというのは何ら束縛がないものだと考えている。だからこそ、世俗や因習、名利を離れる気魄が風流の根底になくてはならないと説いた。ただ、九鬼の考えで注目すべきは、離俗という消極的方面だけでは風流は成立せず、積極的方面がつらなってこなければならないと指摘したところにある。個性によって新たな充実を求めていく動きが大切で、それが往々にして美的生活へとつながっていく。これを九鬼は「耽美」とし、第二の契機として位置づけたのだった。そしてさらに「自然」と結びつくことによって、自然と人生と藝術とが渾然一体となること、それこそが「風流」の理想だと考えるに至った。この考えが現代の「風流」におけるイメージを固めたのだと思う。

さて、本書に登場する藝術家は、自身の専門分野以外に、「書」にも勤しんだ。それは、展覧会で審査されるものではないから、まさに「風流」だった。さらには自身の藝術から抽出された美学をもって筆をとったため、どの人物の書も実に個性的だった。よって本書では、その美学を一つずつ浮き彫りにすることを目標とした。

ところで、私自身、十四歳のとき仮名書道に出会い、いわれるがままに日々平安時代の古筆を至上のものとして学んできた。その後、大学院の博士課程に進むことになり、一度は平安古筆を研究テーマにしようかとも考えたが、二十三歳のときに国立博物館で見た「鶴下絵三十六歌仙和歌巻」の絵と書の調和に心奪われ、江戸時代を中心に活躍した本阿弥光悦の書と向き合うことに決めた。これが平安時代以外にも目を向けるきっかけとなった。光悦の書を知るためには、室町時代や鎌倉時代にも遡って考えなければならないため苦労はしたが、時代ごとにあらわれる書の特色と、名が残るいずれの人物も時代の流れに合わせつつも、けっして型にはまり過ぎるものはいなかったことを知ることができたのは大きかった。つねに書はその時代をうつす鏡のようなもので、どこが最上というようなものではないことを知った。

もしかしたら、本書で取り上げる人物たちは書家ではないという人がいるかと思う。しかし、たとえば幕末の市河米庵は門弟五千人だったというが、それまでの日本書道史をみたとき、書家などという職業は存在しない。頼まれて書く場合はあっても、自ら書き留めておきたかったことばがあって、相手を想った手紙などが書道史を彩ってきたに過ぎない。明治時代以降、書家といわれる人たちが現れたが、それとは違った形で文墨に没頭したのが本書で取り上げる人物たちだった。いま、近代の書道を想うとき、書道団体の動きだけがけっして書道史ではない。これから登場する書たちも、まぎれもなく日本書道史を彩る筆跡である。

松田正平

書と原点

私は松田正平（一九一三〜二〇〇四）という画家を知らなかった。あるとき美術商のカタログに「寿」と書かれた一見稚拙に見える書が載っていて、なぜか気になって店に赴いたことがあった。実物を見るとカタログでは真っ黒だと思っていた墨色がいささか淡く、それでいて滲んではいない。丁寧に墨を磨っていることが伝わってきた。

とぼけたような「寿」の字形。意外にも親しみを覚えた自分がいたから値段を聞いてみると、到底ポンと買える額ではなく諦めた。失礼だが、なぜこのくらいの書がここまでの値打ちがあるのか。それが松田正平と向き合うきっかけになった。

調べてみると一九八七年に山口県立美術館で開かれた展覧会がはじめに出てくる。取り寄せて図録を眺めてみると、こちらもとぼけたような絵たちが並んでいた。ただそのとき、私の脳内では犬の絵と寿の書がぴったり合わさっていた。そこには共通した線があった。

松田正平は一九三二年、東京美術学校西洋画科に入学した。在学中に帝展に入選するなど、その才能を開花させていった。卒業後は郷里、山口県宇部市の有志たちの援助を受け、五年間の予定（実際は戦争勃発により二年で帰国）でパリに留学した。そこで彼を惹きつけたのは当時流行していたピカソやマティス、あるいはその一世代前にあった印象派の絵でもなかった。むしろ彼らに影響を与えた画家、カミーユ・コロー（一七九六〜一八七五）の油絵だった。戸外で移り変わる太陽の光や、それにともなう影を描き出す風景画に、若き正平は惹かれた。新古典主義と写実主義の中間にあったコローの絵は、日本でも人気の高い印象派の、いわば原点だった。

　帰国後は池袋のアトリエ付き借家に居を構え、制作活動に精を出す。一九四二年、山口師範学校の美術教師として赴任するも、わずか一年で辞職。再び上京したのち、パリで知り合った吉川精子と結婚して横浜に新居を構えた。

　太平洋戦争が終局を迎えつつあった一九四五年の二月に帰郷、終戦後は山口県光市に移り教鞭を執る。しかし、普段の生活が忙しくて絵を描かなかった正平に対し、妻精子が「このままじゃええ先生にはなれるが、絵かきにはなれん。私は絵かきと結婚したんじゃ」といい、それを受けて正平は先生を辞め、再び上京したのだった。

　一九六三年、正平は千葉県市原市の鶴舞に移り住む。樹齢百年を越える杉の大木やクヌギ、椎などの雑木林に囲まれた高台に農家の米蔵を移築してアトリエにし、制作に没頭していく。このころから作風にも変化が起こる。厚塗りだった絵の具は徐々に薄くなり、一九八〇年代には水彩のような透明感のある表現になったのだった。

松田正平の評価

写真家の藤原新也は、そんな正平の絵をいい意味で「軽い絵」と評価した。藤原はマティスやデュフィをそのように感じていたようだが、正平のように油絵でありながら「軽い」のは思いの外少ないと感じた（『きまぐれ帖Ⅱ』阿曾美舎）。

それは、画家が絵を描くというのは、世界や事物にこだわるから絵を描くのであって、それがあらわになると自然と絵は重くなるのだという。

しかし、正平の絵にはそれがなかった。そこにあるのは、ただ海と、舟と、陸と、そして雲、犬、魚、薔薇など、日常のどこにでもあるものたちだった。

また、美術評論家の洲之内徹は「松田正平氏のような理屈抜きの絵は、批評家の最も苦手とするところなのだ。というよりも、理論好きの美術批評家には最初から、松田正平氏は関心の外だったかもしれない」（『芸術新潮35号』新潮社）と語っていることからも、当時の美術界でもけっしてもてはやされる存在ではなかったことがわかる。

ただ正平の飾り気のない絵と、その書は片岡鶴太郎をはじめ多くのひとに影響を与えた。映画監督の山田洋次もそのひとり。

> ――「肩の力を抜く」という言葉がある。映画作りの世界でも大事であり、また難しいことでもある。風の吹くまま、気の向くままに気楽な旅をするのはフーテンの寅さんだが、実はその肩の力を抜いた寅さんを演ずるのがどんなに大変なことかを、亡くなった渥美清さんは身にしみてわかっていたに違いない。松田さんの書を眺めていると、自分の肩がカチカチに固まっていることに気づかされる。風が静かに吹いてきて、さらさらと文字になって残ったような美しさが、ぼくがとらわれている無様な緊張をときほぐし、穏やかな気分が戻ってくる。
>
> （『きまぐれ帖』阿曾美舎より）

「憧れの人」と題したこの文章は、松田正平の書がいかに俗世にとらわれることのない風流なものであったかを伝えてくれる。

犬馬難鬼魅易

正平は犬や魚、海や島など何の変哲もないものばかりを描く。

洲之内がいつしかアトリエを訪ねたとき「犬馬難鬼魅易」と書いた自筆の短冊が置いてあったという。鬼魅《きみ》、すなわち人を脅やかすさまざまな恐ろしい化け物を描くのは易しいが、犬や馬など、そこらにいるありふれたものを描くのは難しい。これは『韓非子』に出てくる一節である。正平はこの言葉を大変気に入り、たびたび書いた。きっと彼の画家人生にぴたりと合うことばだったのだろう。

晩年のインタビューにおいても、犬など何回描いても難しいと語っている。そしてそのことを何よりも楽しんでいる様子だった。

正平はドストエフスキーやチェーホフなどの小説を好み、ほかにもさまざまな本を読んだ。『論語』や『奥の細道』『徒然草』などは、学生時代に読んでも何も感じなかったが、八十歳を過ぎて読めば実に面白いと思った。『韓非子』もそのなかのひとつですんなりと共感を覚えたようだが、なかには惹かれつつも難解なものもあった。それがショーペンハウアーの『意志と表象としての世界』だった。

ドイツの哲学者アルトゥル・ショーペンハウアー（一七八八～一八六〇）は「仏陀、エックハルト（神学者）、そしてこの私は、本質的には同じことを教えている」と述べるほど、仏教思想とインド哲学を明晰に語った思想家だった。彼が主著『意志と表象としての世界』のなかで説いたのはまず、表象としての世界をただ主観の恣意的な欲求によって、勝手に操作してよいものではないということ。むしろそのような自由な意志の過度な存在構築や存在支配によって生み出される「近代の苦悩」というものを制御することだった。いうなれば自己中心的な感情をいかに抑制するかということであるが、そのために彼は藝術論を多く語った。

たとえば、絵画鑑賞は、他人の仕事の媒介を通じて比較的高い段階のイデア（理想）の認識を手に入れることだと前置きしたうえで、それをせずとも純粋に植物を直観したり、動物を観察することでも自身の理想を認識することはできると説いた。

それには動物が伸び伸びとした、自然な、心地よさそうな状態にいるときに観察するのがいいという。動物のさまざまな奇妙な形態や、行動を客観的に観察することは、「自然という大きな書物のなかから示唆に富む一章を読むこと」だとショーペンハウアーは語る。

動物は自然に順応するために、それぞれ特徴的な姿をしている。その「もののしるし（シグネチャー）」のなかに存在する意志の自己表明を解読することがまず大切だといった。音楽でいうところの「同一主題の変奏」と彼はたとえたが、いのちというものは同じでも、種族の根底に流れる意志がそれぞれの生きる世界に適応するために表象となって形作られた神秘性、それに目を向けたのがショーペンハウアーだった。

自然あふれる自宅の庭で伸び伸びと犬を育てては絵に描いた松田正平。彼の絵の理解には、いのちの原点を見つめるショーペンハウアーの「もののしるし」はひとつの鍵になろうかと私は思う。

そして愛犬の「もののしるし」を解読するのは容易ではなかったからこそ「犬馬難鬼魅易」のことばが彼の心を打ったにちがいない。

「犬」

書について

――子供の時から、お前ほど下手な字を書く者はおらんと言われての、それを、ここにきて書を書け書けと言われて、狐につままれたような気がしている。

（『季刊銀花（１２２）』文化出版局より）

正平は自身の書に対して常に謙虚だった。そんな正平の書の姿勢を知るために、私は銀座にある阿曾美術へと向かった。それは松田正平というひとの書の魅力にいち早く気がついたのが阿曾美術の主人、阿曾一実さんだからだった。

その日は、陽射しが強い晴れた日だった。緊張しながらギャラリーの扉を開けると、室内は光が落ち着いていささか暗かった。阿曾さんと挨拶を交わしてすぐに、一点輝く照明の光に誘われて壁に目が向いた。すると、そこにはただひと言「美しい」（図版）とだけ書かれた松田正平の書が掛かっていた。

「美」の字はゆっくりとした筆致でわずかに滲み、「し」も丁寧に書かれている。ただ、私が目を奪われたのは「い」の一画目だった。動物の尾のように、急に細く現れるそのハネ上げは、毛先一本にまで意識がそそがれていることの証だった。

銀座のビルの一室にある阿曾美術には、室内に茶室がある。聞けば主人の手作りだそう。けっしてそうは見えぬほどのクオリティで、とくに壁の色味や質感は、洗練された雰囲気があった。まさに「市中の山居」ともいえるこの場所では、本物の軸の前でただ茶を喫するという贅沢な時間が流れるという。私も抹茶をいただきながら、お話を伺った。

阿曾さんは、あるとき正平から届いた手紙に心から感動したという。「その筆跡は自由自在の『線』に充ち、一幅の白描画の趣をたたえていた」と当時を振り返る。そして、その手紙は今、阿曾さんによって表装されて軸となっている。ただ、それは阿曾さん本人が愛でるためのものであるから、あえてシンプルな紙表具にした。軸先は竹の切り落としでわびた趣、まさに松田正平の人柄にぴったりな軸という印象を受けた。

ところで正平自身は当時流行の書について次のように語っている。

――「何々先生」の書道展に行っても、わたしの力で読めるのは、一〇〇パーセントのうち一〇パーセントもない。自分の無学を証明しとるようなものよ。あの書を読むに

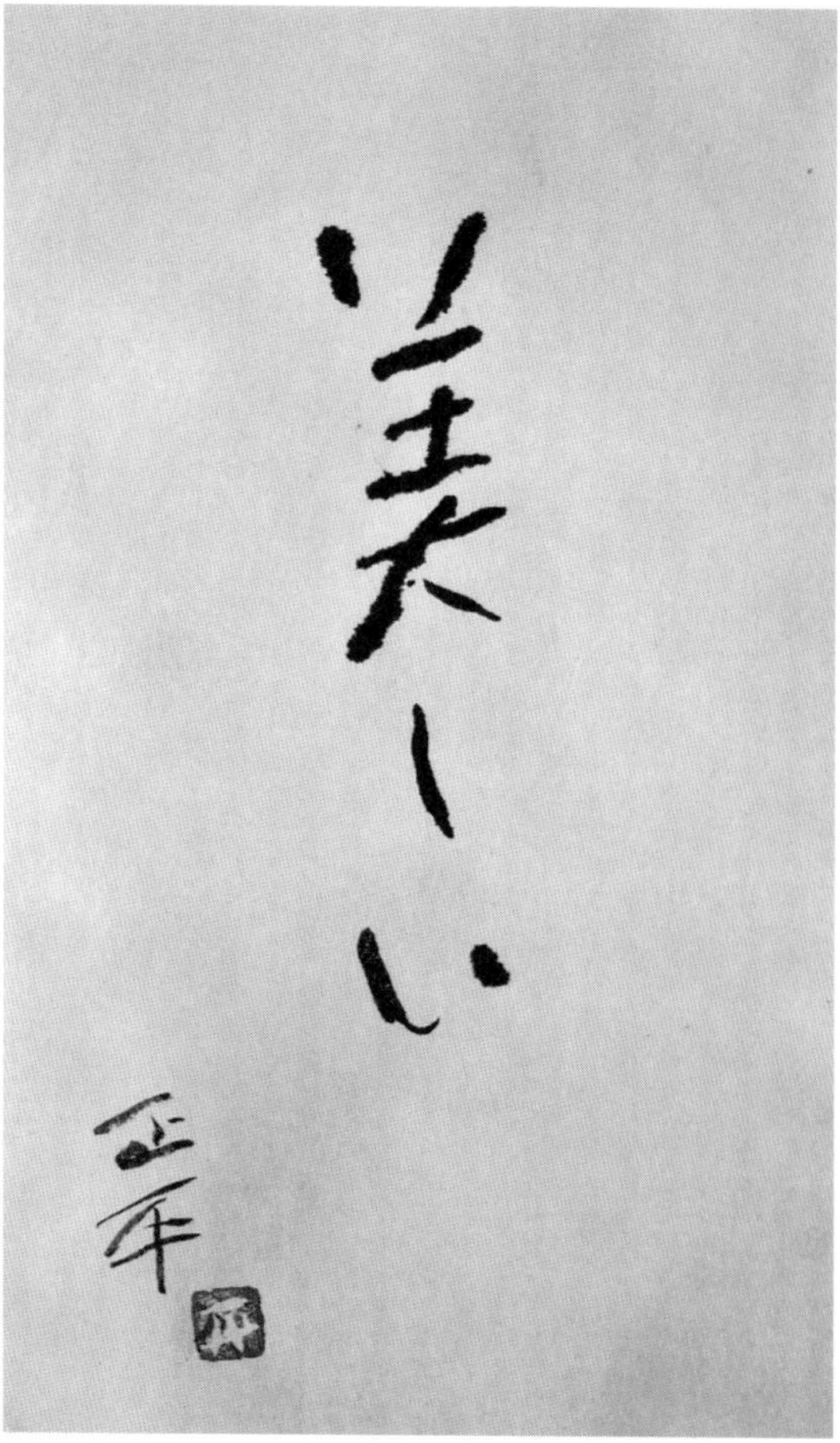

「美しい」

は、特別な勉強をせな、読めんと思う。字、ちゅうのは読めんとな。あれは、デッサン展なら成り立つと思う。特別な教養のない人でも、デッサンの面白さとしてなら、楽しめる。

（『季刊銀花（122）』より）

正平は字形にこだわりがなかった。というより、書の第一義を字形に置いてはいないのだ。絵描きの立場をもって書とも向き合ったからか、「線」というものをもっとも大切にした。

絵においては鳥獣戯画、源氏物語絵巻、信貴山縁起絵巻などの筆使いを好んだ。そして日本人がそれを捨ててしまうのは心から惜しいと思っていた。

「線をないがしろにしだしたのは、ヨーロッパの影響」だとし、写真機が発達して原色写真までできるようになると、若い人が右往左往しだしてついに抽象画になったと言い切った。とくに日本画家が油絵のような描き方になったことを憂慮し、線ひとつで物質の質感も表せるし、色をつけなくても墨色だけで実感が出せるとまっすぐに信じていたのが松田正平というひとだった。

――この字はいいなあと思うのがあったらそれを写してみるといい。そうすると、あなたの好きな世界がでる。（『きまぐれ帖』より）

だからこそ書を嗜んだのは至極自然なことだった。しかも、四十四歳のころには吉田健一に頼まれてその著書『近代文學論』(垂水書房)の題字を書いている。「画より先に字の方が売れた」と本人も語っているが、彼にとっては「線」と向き合うという意味では、その依頼に違和感はなかったのだろう。

では、彼の好んだ書は具体的にどのようなものだったか。次に追ってみたい。

「書く」と「掻く」

私は、千葉県の鶴舞にある松田正平アトリエ館を訪ねた。それは、小高い丘の上にひっそりと佇む素朴な一軒の家。「入り口」と筆文字で書かれた木札を目印に細い脇道を進むと、雑誌で見覚えのある庭が広がっていた。

この縁側に松田正平が座っていたなと思ってサッシ戸に近づくと、窓際のソファーでコーヒーを飲む男性と目が合った。

正平が山口の宇部へ帰郷する際、そのあとに家を引き継がれたのが関口さんだった。古びた蔵のアトリエの戸を開けてもらい、なかに入った。まだ晩秋なのにかなり冷え込んだ室内、展示品のなかには正平が履いていた下駄もあったが、聞けば冬でも裸足だったという。家具も質素でこぢんまりとし、清貧の姿勢で絵と向き合ったことが伝わってくる。

そんなアトリエには、当時、多胡碑《たごひ》の拓本が軸装され飾られていたという。多胡碑というのは、いわゆる上野三碑といわれるものの一つで群馬県多野郡吉井町池字御門にある。

調査報告によると碑身はほぼ正方形の石柱、上に笠形の覆石をのせ、下は二段の臺石上に立つ。碑石は第三紀砂岩。刻法は薬研彫りで、深さ二分に達するものもある。碑文の内容が続日本紀和銅四年（七七一）三月六日の条にみえる多胡郡の記事と符合することから、長い間奈良時代の成立と信じられてきた。しかし、先学が指摘しているように、素材や文字の稀用例から考えると内容を摘録し、後に制作された可能性が高い。

ただここで注目したいのは多胡碑が「薬研彫り」であるということ。薬研彫りという名は、漢方薬の材料を粉砕するために使用する舟形の器「薬研」に由来する。舟形の中央のくぼみに薬種を入れ、握り手のある円盤状の車輪「薬研車」を前後に往復させることで粉砕することができる。薬研を横から確認すると、その形がV字にくぼんでいるため、それにちなみ「薬研彫り」といった。

ところで漢字の歴史を振り返れば、現在確認できる最古のものは甲骨文である。殷時代後期の考古学資料が殷墟で出土し、亀の甲羅や牛の骨などに刻まれた文字が見つかった。そのはじまりは占卜のためだった。

その後、甲骨文から青銅器に鋳込まれたいわゆる金文、そして石碑や墓誌へと文字は彫られることで残されてきた。

そしてそれらに共通するのは傷をつけることで生じる「V字の溝」だった。『日本の金石文』(芸術新聞社)の著者、財前謙は所収の章「伝達と筆法」で次のようにいう。

――筆で紙に書く線にもV字形の溝が求められた。もちろん紙上の線に溝など確認できないが、長く金石文に見てきたV字形の溝が遺伝子に薫習され、それは筆で書くときの一本の線にも反映した。彫るような線、ゑぐりとるような線が求められた。筆法、あるいは書法といわれるものの原点は、まさにこのV字形の溝にあると考えられる。筆の穂先が線の中心を通ること。すなわち中鋒とか直筆とかの概念は、筆法そのものである。

文字の線は、その中心が深くくい込み、また鋳出されたものでは山のように盛り上がる。文字というものは「形」を整えるよりも先に「線」があったことを本書は教えてくれる。

それはかつて、中国唐代に生きた張旭が、顔真卿に筆法の妙を伝授したという一節へと導かれる。

――乃ち用筆を悟るは、錘もて沙に画くが如し。其れをして鋒を蔵し、画かしむれば、乃ち沈着せむ。其の鋒を用るに、常に其れを紙背に透過せしめんと欲すれば、此れ功を成すの極みなり。（『張長史十二意筆法記』より）

「錘画沙」といわれる張旭が伝えたこの用筆法は、筆の先を線の中心に蔵して書くことだった。そうすれば自ずと沈着した線になるという。そして紙背に透過させようとすることはつまり、薬研彫りによる「V字の溝」の意識に他ならない。

先に挙げた松田正平の「美しい」と書かれた書。その字に心動かされたのも今思えば彫るような線だったからである。多胡碑の成立年代には諸説あって奈良時代とは一概には肯けないが、正平が碑に刻される文字に魅力を感じていたことは確かだ。

そして、当時の彼は多胡碑を通して日本の書の原点を想像していたにちがいない。「画面の緊張」というものがあると正平はいうが、これは書もしかりであって、碑に刻するような心持ちで掻くように筆を運べば緊張感が生まれる。ちなみに多胡碑の書は、一画一画が独立し、沈着した間がある。特に、四角形で構成される「日」や「目」などの点画や、余白の取り方において私は、松田正平の書との共通性を感じている。

おわりに

NHK「本物の油絵が描きたい〜洋画家・松田正平」という番組は、正平が実際に油絵を描くシーンを取材した。一見、子供の絵のような即興画に見えるから仕上がりも早いのかと思いきや、実は半年近くもかかってようやく一点が出来上がる。

何より驚いたのは、はぐ、塗る、はぐを繰り返し、削って削ってそぎ落として描くそのさまだった。はじめは、ナイフなどさまざま試したようだが、カミソリに落ち着いた。それを直接手に持って力強く削っていくため、それに耐えられる分厚いキャンバスを用意しなければならなかった。そして自分だけの色を出すために何度も何度も絵の具を重ねては削る。それは絵を描くというより、自分の美を一つずつ彫っていくかのようだった。

昭和二十年の春、正平は帰郷して炭坑夫として働いていた。花も何もない生活だった。だが、毎日通う道沿いの農家に赤い薔薇が咲いていて、それに救われたと彼は語る。

そのときから薔薇に美を感じていくのだった。さまざまな種類を育てた正平は、なかでもヴィルゴという薔薇を気に入っていた。世界バラ会議で殿堂入りした名花アイスバーグの交配親として有名なその種は、純白花として名高い。

ただ、正平が気に入って庭に植えていたヴィルゴは、なかでも小さく、華美になる前をとくに好んで描いた。

――バラは好きだからね。自分の好きなバラを植えておる。あれは私のモデルだ。

（『きまぐれ帖Ⅱ』より）

アトリエ館にも、また阿曾美術でも、正平の思いっきり笑った自画像が飾ってあった。未だかつて自画像でこんなにも笑った顔があっただろうか。「美男子ならともかく、わたしは、言いようのないおかしな顔をしておる」。そう自身の顔について語ってはいたが、その心はヴィルゴのように純白だったにちがいない。

「自画像」

熊谷守一

書と心象

「今まで生えていたか」

　庭に生えている何気ない葉に対し、山崎努演じる熊谷守一がそうつぶやく。二〇一八年公開の映画「モリのいる場所」の序盤シーン。

　三十年もの間、ほとんど自宅の外に出ることなく庭の生命を描き続けた守一は、九十七歳で死去するまで生涯現役だった。彼にとって見慣れた風景などない。同じ庭でも日々新たな発見と感動がある。アリは左の足の二本めから動き出す。そんな細かいことに気づくほどに対象をよく観察した。けれどもその躍動感を絵に表すことはなかった。

　今日、熊谷守一の名が世に知られるようになったのは木村定三の存在が大きい。木村がはじめて熊谷作品に出会ったのは弱冠二十五歳。熊谷守一は五十八歳だった。名も知らぬ画家の作品を目の前に、その魅力を瞬時に理解し購入を決めたところに、若くても只者ではない鑑識眼を感じる。

　守一は木村との出会いを語る際「百枚までは買ってやる」といわれたことをしばしば笑いながら話すことから、この青年に対して親しみを持っていたことがわかる。実際は、二人の往復書簡を見るかぎり、木村の丁寧な物言いや、「小生も先生の日本画は名作壱百点蒐集の望に御座候」と手紙に書いていることからも守一を敬っていた様子がうかがえる。このやり取りを守一が面白く話していたものがのちに流布されていったのだろう。最終的には百点どころか、二百十四点にもなった。

　二人が出会ったのは一九三八年十二月、名古屋丸善で催された「新毛筆画展覧会」だった。以降、実に三十九年の交流を持ち、その関係は木村が守一に作品を委嘱するまでに至った。

　そして、守一の書の魅力にいち早く気づいたのも彼だった。自らの監修で『書　熊谷守一』という豪華本を上梓しており、そのなかで「箱書きの書の立派さに感心して熊谷さんに書を書いてもらった。おそらく熊谷さんとしては頼まれて書を書いた最初であろう」と語っている。

身の丈に合うことば

――浜田の所で、弘法大師の書といわれているのを見せられたときのことですが、全体ひどく黒くなっているのに、字ははっきり見えるんですね。墨ってものは強いなと思いました。そのときの書を真似してやれというんで、後に書いてみたのが「一行阿闍梨耶」

です。

（『蒼蝿』求龍堂より）

一九三八年の夏、絵描きの友人だった浜田葆光の尽力で奈良と大阪で水墨画展が開かれたが、その前後、守一は奈良の浜田家に滞在していた。そのとき、空海筆と伝わる「一行阿闍梨耶」の同寸大の複製を見ることになる。

守一の感動は一入だったのだろう。その場で自分も書いてみたいと思い筆をとった。そして、これを皮切りに頼まれて多くの書を書くようになる。ただし、「一行阿闍梨耶」のような、まるで胸を張ったような書はもう書かなくなったと本人は語る。

書を書くようになってから、彼は良寛のことを知った。日本書道の歴史において良寛は、流派の書法にとらわれなかった独自の書を書く人物として知られる。守一も周囲から聞き及んで良寛を知ったというから、周りから似た空気感があるとでもいわれたのだろう。しかし守一は「乞食坊主かと思っていましたが、そうではなく、文化人で、字がきれい過ぎる」と感じていた。本人としては富岡鉄斎の書を上手といっており、一種の荒々しさを好んでいた。

書の字句は漢文や思いついたものを彼は書く。人から頼まれたものは気に入らず、大概できが悪いという。

「謹厳」というような字を頼まれると、字は間違うし、謹厳というものの持ち合わせもないと思っているので、どうしても良いものにはならないと言語録『蒼蠅』にはある。

　これは身の丈に合わないことばには気持ちが入らないという、熊谷守一の書に対する姿勢を表した一例として注目したい。

守一の生活

　守一は窮屈を嫌う。のど元や手首、足首を締められる衣服が苦手で、着なくてはならないときは、その部分を切りとって着る。もらったばかりのカーディガンでさえ袖を短く切ってしまう。衣服にこだわりがないため、いつも同じ帽子をかぶろうとするが、妻の秀子に「こんなつぎだらけのものは雑巾にもなりません」といわれたり、戦後間もなく、上野の地下道にいるホームレスの取材をするからといって、守一の着ているモジリ袖を朝日新聞の記者が借りに来たりした。

　ものを燃やすことが好きで、天気の良い日は、庭に出てゴミや落ち葉を燃やす。ときどき盗まれた表札を新しくとりつけたり、電気のヒューズが切れれば直したり、ブライヤーという木の根の塊を貰ったときには、何週間もかかってパイプにしたこともあった。

　暑い時期には庭にゴザを敷いて、腰に下げたスケッチブックに、あたりの草花や蝸牛や蛙や虫などをスケッチする。疲れると、そこにごろりと横になって眠るのだから服は当然汚れるだろう。行き当たりばったり、感じたままに行動する彼の性格が垣間見える。

　一九五六年、七十六歳のときに守一は軽い脳卒中で倒れている。このときから外出は止めた。耳鳴りがひどくなったのもそのころからで、風呂場にも寝床にもラジオを持ち込んで、音を立てながら暮らすようになった。以来、頭のなかに油蝉を二匹飼ってきたようなものだと彼はいう。

　その後どうにかその耳鳴りを忘れるようになったというが、そのストレスは大変なものだろう。ただ、耳鳴りを忘れるほどの集中力が、庭の生命と日々向き合う彼を生み出したのではないか。

　ルノワールは晩年、神経痛に悩まされた。しかし、彼は両手の指の間に絵筆を挟んで縛りつけ、あのような幸福な絵を描き上げた。

また、ベートーベンは耳が聞こえなくなっていたのにもかかわらず、歓喜あふれる第九を作曲した。

病が藝術作品を生み出したわけではない。逆境のなかにあってもなお、表現したいと思う命の強さがそこにはあった。

激しい耳鳴りのなか、石ころでさえじっと眺めているだけで何日も何月も暮らせるのが熊谷守一。それこそ彼の強みであり、何よりの個性だと私は考えている。

小さなもの音

――静寂なんてものはこの世にありません。囲りが静かになると、今まで聞こえなかった小さなもの音が聞こえてくる。

（『熊谷守一 人と作品』生活社より）

「寂」と書かれた一字書に添えられた一文。守一の絵における躍動感の消去も、周囲を静かにすることで守一ないしは我々鑑賞者のなかにある、今まで聞こえなかった「小さなもの音」を拾わせるための表現のひとつだと思う。展覧会では売れ残る「蒼蠅」という書も、なぜ懲りずに書くのか、それは守一自身が蒼蠅を単純に格好がいいと思っているからで、これも守一の心が静かになったために拾えた「小さなもの音」のひとつだった。ひとたび作品となれば見る側にも美は委ねられるから、ときにそれは周囲に理解できぬこともある。普通は鑑賞用としては躊躇うものだが、彼の場合、自分がいいと思ったものをただ書くだけだった。

　絵の具の使い方も独特で、色を塗るのは、その絵の一部分だけということもある。周囲からは絵の具をケチっているのではないかといわれたこともあったようだが、守一にはそれなりの効果を考えてのことだった。色がなくても十分色を感じるところには色は塗らないと彼はいった。

——絵には色がない方が上品です。もっといえば白いキャンバス、白いままの紙の方が何か描いたものよりはずっとさっぱりして綺麗です。それよりよくはできないです。そこが凡人のかなしさで、何か描いたり、塗ったりする。ばかばかしいことですね。

（『蒼蠅』より）

　このような考えをもっているから守一は、絵筆をとる手が重かった。ただ生活もあるから多少割り切って絵を描くところもあった。それはサインにおいて顕著で、漢字で「熊谷守一」と書く場合にはみんなにわかりやすい作品のときに入れた。
また、少し自分の気に入った場合は片仮名で、そしてさらに気に入るとサインはしなかった。
「サインや判なんかない方が一番さっぱりしています。誰が描こうがよいものはいい。判なんて押さなくたってよいものはいい」と語る彼に自己顕示欲などというものは感じられない。

守一の絵とフォーヴ

影にこだわって絵を描いていた若年。しかし晩年は影を描くことはなかった。それは影を描かずして鑑賞者に影を想起させる手法に変えたためだった。光学に精通し、配色によって影を想像させる。その想像した影は陰湿なものではないと彼はいう。

――影がたくさんありますわね。あの影をよしてしまうんですわ。色の寄せ集めでけっこう代用する［できる］と思います。実際影ってものは、陰気なものでしょう。そこを影のない色を寄せ集めれば、困るほど影が出てくる。そのほうが、実際の影より陰気じゃないですわ。

（『みづゑ第七八〇号』美術出版社より）

　五十六歳のとき、作品に赤い輪郭線が現れた。実際に守一の絵と向き合ったときに思い出されたのは、物体を逆光で見たときに現れる境目の光だった。そして物体の境目とは何かについても同時に考えさせられた。それはもしかして、光の当たり方によって判断できているにすぎないのかもしれないとさえ思った。

　私の心が動いた守一の絵は「母子像」だった（図版）。「イモムシのような赤ん坊を面白く描きたかった」と本人が語っているほどに、形ではなくその物体のもつエネルギーを見ているかのような絵だった。守一の絵は、物体の輪郭など細かな部分を捨て去り、対象を俯瞰で捉えている。だからこそ輪郭が直線的になり、その内部にある生命の輝きを鑑賞者に想起させる。

　この生命の輝きに重きを置いた絵のことを西洋ではフォーヴィスムという。また過去には、一九九二年から一九九三年にかけて『フォーヴィスムと日本近代洋画』（愛知県美術館、京都国立近代美術館、東京国立近代美術館）という展覧会が日本でも開催されており、熊谷守一もその一人として名が挙がっている。

　二十世紀になってから爆裂するような勢いで生命の自己主張を果たしたフォーヴィスム。印象派の画家たちは、事物の固有色を否定し、外光を通じてすべてを色彩の振動として把握しようとしたが、その結果、明確な輪郭線は否定され、自然光には存在しない黒系統の色が消えた。その際、大雑把な筆触による色彩並置がなされたが、これを科学の名のもとに体系化しようとしたのが新印象派

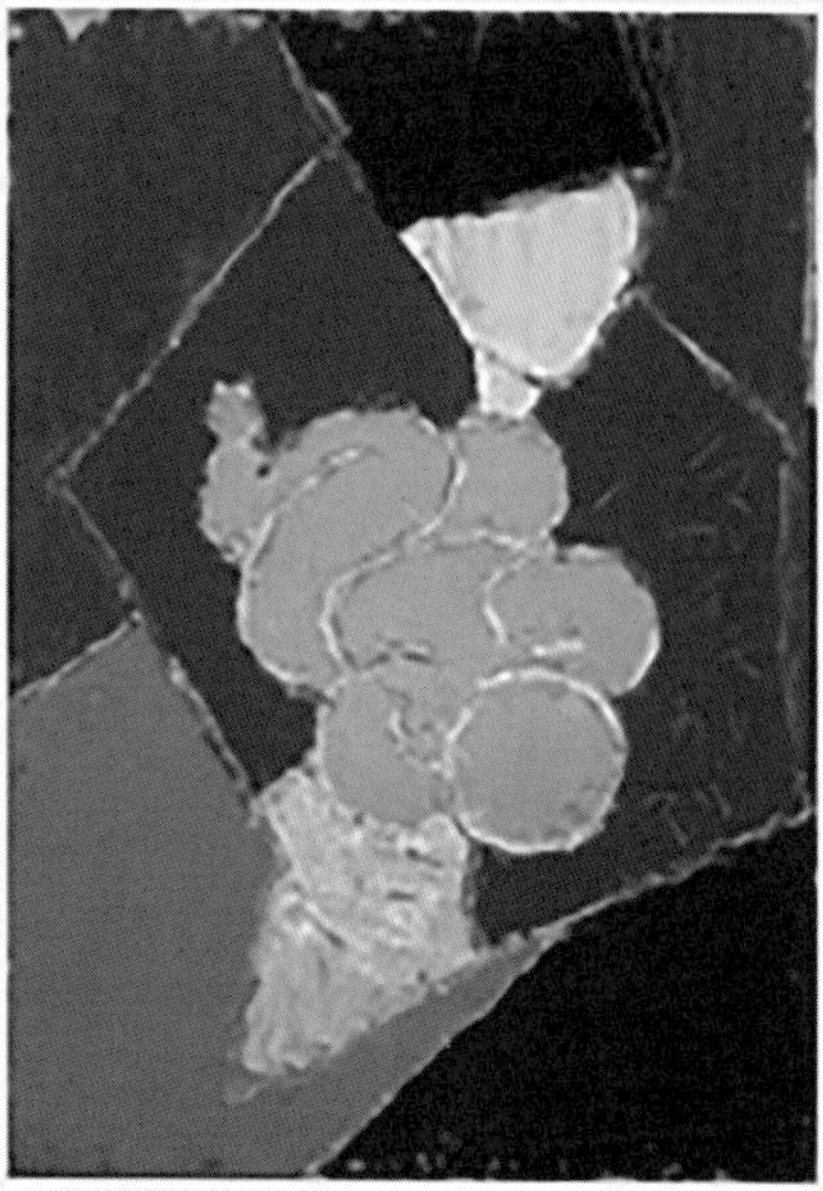

熊谷守一「母子像」1965年　豊島区立 熊谷守一美術館蔵

だった。しかし、それは同時に絵から生の感覚、活力を奪うことでもあった。

　こうした流れにあって、絵に原初的な力を取り戻すため、体系を破壊しようとしたのがフォーヴと呼ばれた画家たちだった。ただ、フォーヴの画家の数だけフォーヴィスムがあるからこそ、単純に一括りにするのは難しいともいわれている。

「フォーヴ」という命名は一九〇五年のサロン・ドートンヌの第七室において、マティスやドラン、ヴラマンクの絵を見て、ルイ・ヴォークセルなる批評家が「野獣（フォーヴ）」と展評のなかで評したことに由来している。ただし、その画家たちはみな三年ほどで違った作風に移行していき、フォーヴの時期は短かった。フォーヴィスムは、色彩それ自体に表現があると見なし、とりわけ、人間の内的感情や感覚を表現するのには色彩が重要だとし、色彩自体が作り出す自律的な世界を研究することが目的だった。

　ちなみに『フォーヴィスムと日本近代洋画』展で取り上げられた熊谷守一の作品は「陽の死んだ日」だった。この作品の背景を追ってみたい。

　一九二二年、守一が四十歳を過ぎたころ大江秀子と結婚した。東京美術学校時代からの友人で洋画家の斎藤豊作から援助を受けていたが、毎月の生活費は斎藤がパリに行ったことにより止まった。お金がないのにもかかわらず守一は売るような絵は描けなかった。生活費は所属していた二科会の研究所から車代という名目で出ていた三十円だけだった。そのころの家賃がちょうど三十円だったから、大変貧乏な生活だった。

そして子どももできた。長男の黄が一九二三年に、翌々年には次男の陽が、さらに翌年には長女の萬が生まれた。次男が生まれたころには貯金も底をついたという。また、子どもたち皆、からだが弱く、医者にかかろうにもお金がなく行けないこともよくあった。

あるとき、子どもが次々に高熱を出したことがあったが、とくに次男の陽の様子はただごとではなく、泣き声も立てず真っ赤な顔をして寝ていたそうだ。意をけっして近所の医者に駆け込んだときにはすでに遅かった。享年四だった。

この世に何も遺すものがなかった息子を思って描いた「陽の死んだ日」。しかし守一は、陽の死に顔を描いているうちに「絵」を描いている自分に気づく。それがいやになって描くのを途中でやめたのだった。

絵になる前にやめるところに守一ならではの眼がある。彼が見ていたのはあくまで陽の生命、そしてその喪失だったのである。

へたも書のうち

あるとき二科会の研究所の書生が守一に「どうしたらいい絵がかけるか」と聞いた。それに対し、守一は「自分を生かす自然な絵をかけばいい」と答えた。「下品な人は下品な絵を、ばかな人はばかな絵を、下手な人は下手な絵をかきなさい」といったという。

――結局、絵などは自分を出して自分を生かすしかないのだと思います。自分にないものを、無理になんとかしようとしても、ロクなことにはなりません。だから、私はよく二科展の仲間に、下手な絵も認めよといっていました。

（『へたも絵のうち』平凡社より）

そんな守一の絵のことを東京美術学校時代の同窓、山下新太郎は追憶のなかで次のように語る。

――いまだに不思議に思っていることは、或時君が水彩画で裸婦を写生し、その人体や背景に鉛筆で三角や四角の幾何学的の線を引き、その線を消したり再び引き直したり、傍で見ていても非常に苦心して居られたことです。そしてその線の内に赤や緑の色を塗ったり、洗い落としたり種々と研究して居られた。その頃私などの目には何をして居るのか殆ど見当がつかなかったのでしたが、それから十年も経過した後、フランス画壇にキュビズムが現れた時、私は熊谷君の以前の研究を思い起こして漸く合点することが出来たわけでした。

(『へたも絵のうち』より)

　この「三角や四角の幾何学的の線を引」いたという話は熊谷守一の絵を語る上でしばしば引き合いに出されるものだったが、当の本人は「山下がキュービズムがおこる何年前だったとか書いたり言ったりしていたと言うが、そういうことは誰がいつやったって、そういうところにぶつかれば自然にやることでしょう」(『美術手帖』一九四九年二月号　美術出版社より)と軽くあしらっていた。

　共に絵画の世界にいる人間であっても一見して理解できないことをやる。東京美術学校出身で基礎はありながら、けっして型にはまらず、目的に向かって表現方法を模索する。それが熊谷守一という人であって、他人の目を気にすることは一切ない。それは絵に限ったことではなかった。

　守一は、長女の萬がまだ十二、三のころ、自分の書に対して良いとか悪いとか萬と話したことがあった。そして守一は年寄りの自分と、若い娘の意見が一致するのがおかしかった。

　萬の字は学校ではいい点ではなかったが、守一は好きだった。そんな萬も、戦争中の学徒動員により、軍の工場で働いていたが過労がもとで胸を病み、三年寝たきりののち二十二歳でこの世を去った。亡くなる少し前のある日、彼女はちょっと起き上がったついでに、家にあった黒板のすみっこに、チョークで「南無阿弥陀佛」と書いた。守一はこの字はなんとなく消すに忍びず、萬が死んだあともそのままにしていた。それは消えた生命がまだそこにあるかのような、素直で純粋な文字だったにちがいない。そして妻や家を訪れるひとはこれを見て、守一の書く字に似ているとよくいったそうだ。萬の書いた字は当然字形にこだわったものではなかったはずだが、その点において守一のそれと通ずる。

　それはひとつに彼の紙面の余白に対する感覚が、いわゆる手習いの書道とは異なったものだったからではないかと思う。

　言語録には「観音さんなんか描かされてもどういう訳か何時も頭から描き出して、下の方が詰まって小さくなってしまうんで、試しに足から描いてみた」や、「字を書いても上は大きく下は小さくなり、右から書けば左が詰まってしまう。書く前に割り振っているつもりなんだが、どうもうまくいかない」など、結果的にあとに書くもので寸法を調整する揮毫になっていた。

ただ、ここで断っておきたいのは、別に余白がない訳ではないということ。全体としての間、二文字なら二文字、三文字なら三文字、すべてをふくめた外形はしっかりと捉えられ、紙面に対する余白は充分に取れている。しかし細部は後回しになっているため、一文字だけに注目するとバランスは崩れて見える。わかりやすい例に「心月輪」（図版）の書がある。木村定三は筆が落とされた、まさにその場に立ち会っていた。

――てっきり月の字にぶつかって書き損じになると思ったその瞬間、熊谷さんは悠々と「侖」の字を右下がりに書いて月の字に接触しない。私はこのとき悟道の高僧にも似た融通無碍の熊谷さんの心境に深く打たれたことを今でもはっきり覚えている。

（『熊谷守一作品撰集』日本経済新聞社より）

木村の感じたのは融通無碍の境地だった。守一の体裁を気にしない書きぶりは常軌を逸したものであり、凝り固まった人間の心をほぐしていく。書家の榊莫山も守一の書に魅了されたひとりであり、次のように感じていた。

> ――どれも無雑作に、なりゆきまかせの筆のあしらいと見せながら、その空間制御の気宇の広大なこと、まこと目をみはらねばならなかったのを覚えている。（「扁額の書 熊谷守一の無碍」『日本美術工芸』日本美術工芸社より）

榊莫山は守一の書を七十歳のものと知りながら、けっして枯淡というものではなく、むしろ若々しさ、みずみずしさを感じたという。ことに、仮名書きのものにそれが端的に表れているとし、「悠々と泳ぎまわる大魚の身のこなしを連想させるダイナミックな動き」と表現した。

莫山は、止まるかと見えて止まらぬ、緩急たくみな呼吸と筆使いにやはり「無碍」と感じた。そして、この不思議な墨線のうねりは、巷にあふれる書道からは生まれまいと指摘した。

私も守一の書はとくに仮名書きのものが良いと思う。守一は書を晩年になってから始めたが、そのすべてが必ずしも良いわけではない。たとえば漢字を書く際の筆の入りに側筆が目立つ。実際に守一が筆を持って揮毫している写真をとある雑誌で見たが、親指と人さし指で筆管をつまんで持ついわゆる単鉤法で、さらに筆を寝かして書いていた。

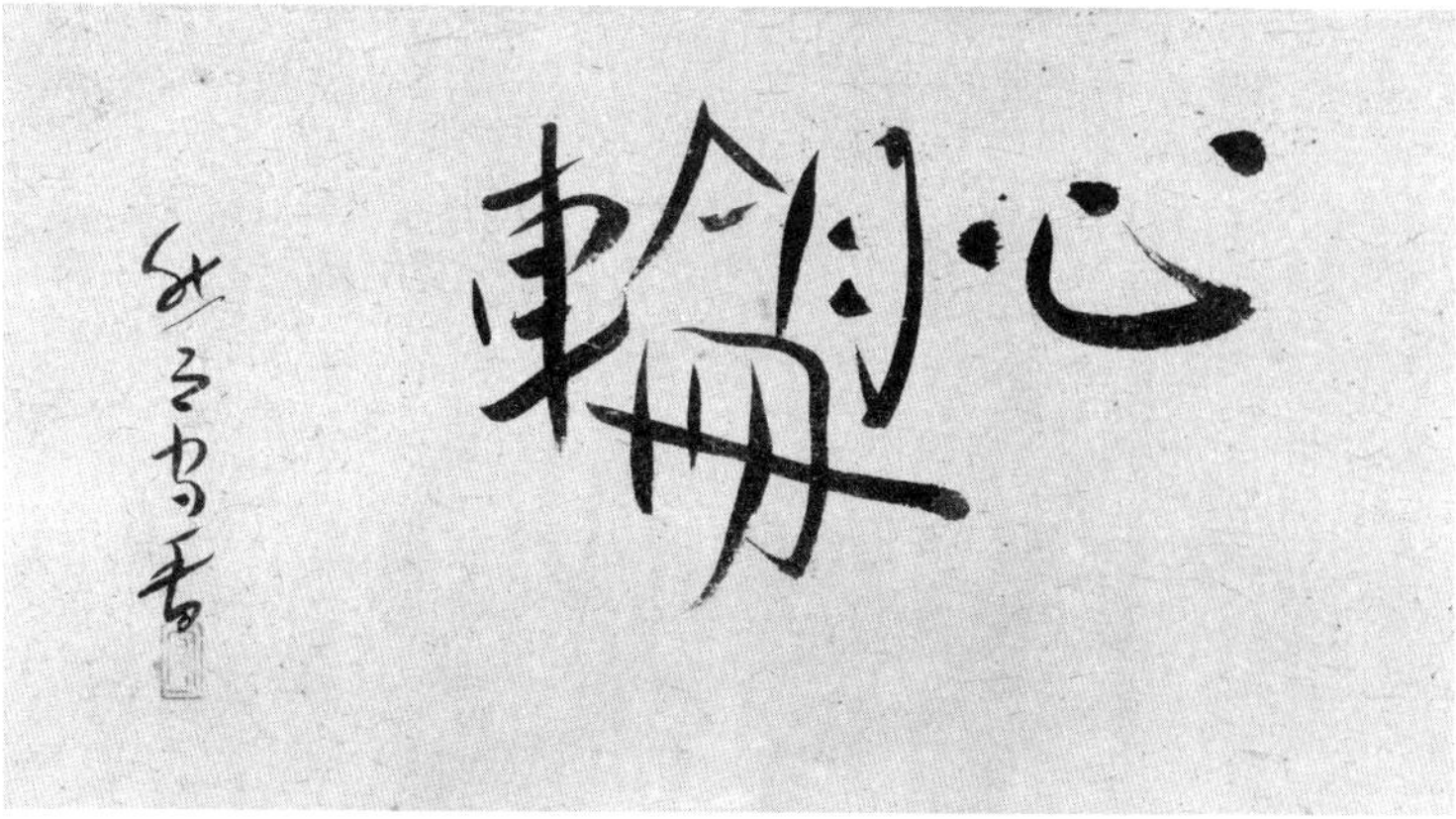

「心月輪」愛知県美術館（木村定三コレクション）蔵

しかし、仮名書きの場合は寝た線が少ない。守一の墨絵もまた、油絵と同様、輪郭が直線的で、その際の筆先は寝ていない。仮名には曲線的なイメージがあるからだろうか。文字のむすびのところ、たとえば「ほ」や「ま」などの字の回転ではつぶれないように筆を大きく返している。

　したがって、仮名書きの書にこそ熊谷の絵で培われた筆線が生かされているのだと私は思う。

――熊谷さんはからすの「か」とかきの「か」とは違うとその時独語のように云った。

（木村定三『熊谷守一作品撰集』より）

「書は心の画なり」ということばがある。それははじめ、文章・著述という意味での「書」であったが、転じて書法をしめすものとして広まっていった。心象があらわれるのが書の一側面だとの考えは、まさに熊谷守一の書によって示される。

同じ「か」であっても、何を心に浮かべるかによって筆致は変わる。そのようなことばと心の関係性について、守一の書は考えさせてくれる。

おわりに

白洲正子が著した『ほとけさま』。この本の題字が熊谷守一の書だったことをこの著述を試みるにあたって知った。学生時代に彼女の著した『西行』に魅了され、その後、さまざま読み漁ったなかに『ほとけさま』もあり、蔵書していた。

また、同じく白洲正子著の『風姿抄』には守一についての記述もあったが、学生時代には熊谷守一への興味が薄く流し読みをしていた。読んだ気になって何も読んでいなかったことへの反省。読書というものは人生観と見合ったときに心に響くことを改めて実感した。ただ、『ほとけさま』も一ヶ月やそこら手に携えて読んでいたために、その表紙は自然と記憶に残っていたのだろう。自分が守一の書に親しみを感じたのはそのためだったかと気づく。さて、あらためて白洲正子の著述をひらけば次のようにあった。

——「蠟燭」の名画で出た画家の仕事は、依然として暗闇の密室の中で行なわれているのだ。これは大変興味のあることで、底抜けに明るい絵が、平板に見えないのは、そこに長い人生を生き抜いた人の、深い喜びと悲しみの裏打ちがあるからに他ならない。もっともわかりやすくて、わかりにくいのが、熊谷守一の作品であり、その人間ではないかと私は思う。

（『風姿抄』世界文化社より）

一九六七年、熊谷守一のところに文化勲章授賞を知らせる一報が届く。しかし彼は、受章を辞退した。さらに美術団体への所属もやめて孤高の道を選び、世俗を離れて何十年も自然に囲まれた自宅にこもった。その自宅は現在整理され、豊島区立熊谷守一美術館として生まれ変わっている。

世間は彼のことを「仙人」と呼んだ。本人はそれを嫌がってはいたが、時代は守一をひとつの偶像とした。命の輝きを原色で表した彼の絵には影はない。ただ、その動機は美しき

影を描くためだったことをわすれてはならない。つまり、対極の世界を描くことで想起させるのが彼の美学だった。文人は胸中丘壑、胸の中にある山水を大切にするという。「仙人」と呼ばれた彼の胸中は如何なるものであったか。絵とは違い、白に黒で表されるのが書の世界。

「かみさま」(図版)と拙いひらがなで書かれた書。筆をとったときの心象風景は、きっとどんな絵よりも色鮮やかだったにちがいない。

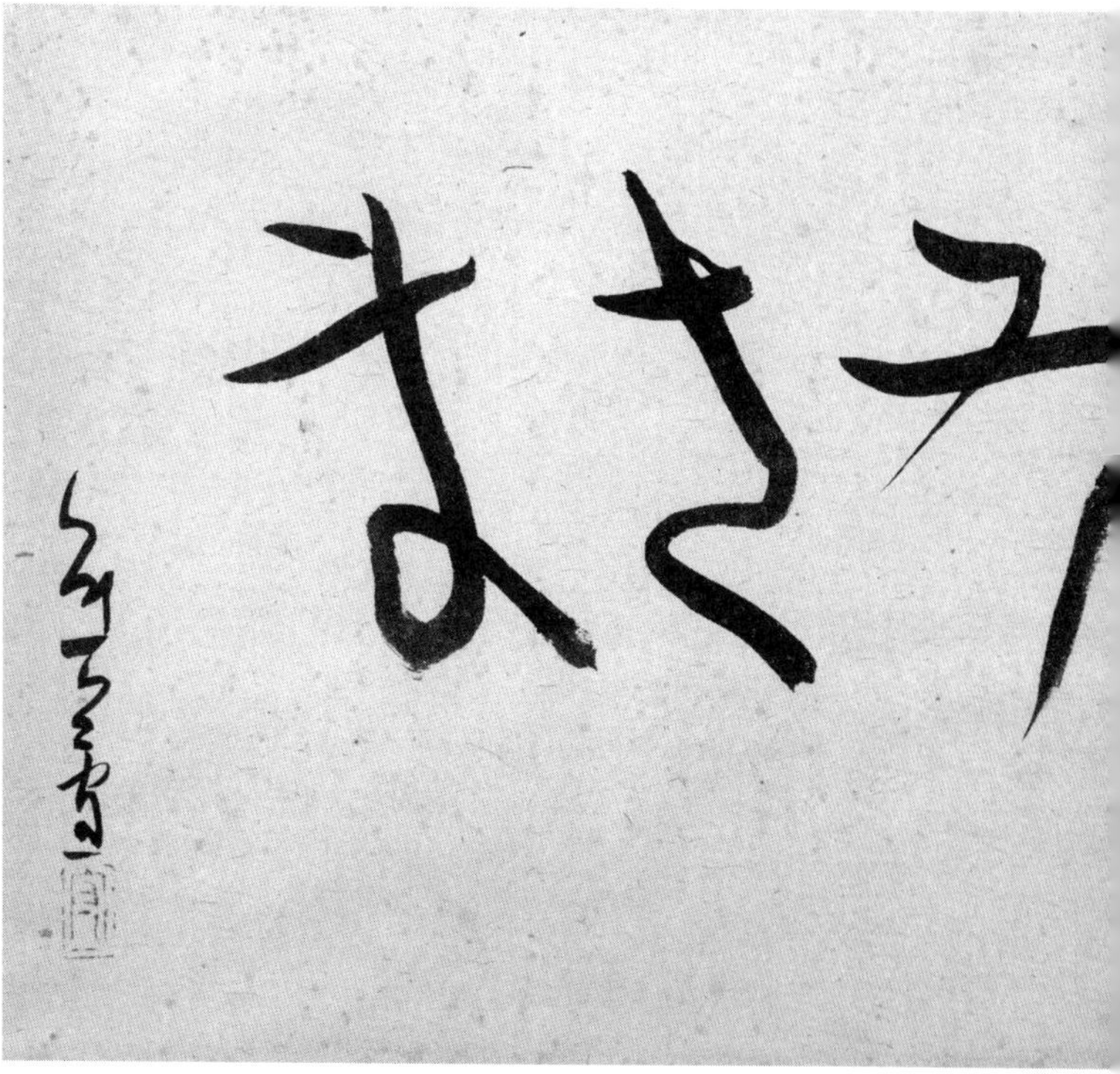

「かみさま」愛知県美術館（木村定三コレクション）蔵

柳 宗悦

書と用

駒場東大前駅から数分、坂を上がったところに柳宗悦（一八八九～一九六一）の旧邸がある。一九三四年、栃木県から豪農の長屋門を移築し、翌年、柳自身が設計した母屋が竣工された。広さ十二畳ほどの食堂は、奥にある六畳の和室と襖を外してひと続きにできる仕様になっている。それは柳のもとを訪れる、多くの客人のための配慮だった。和室で畳に座る視線と、洋室で椅子に座る視線をなるべく同一にするために和室の床を高くした。

そんな柳邸の道路を挟んで向かいに日本民藝館はある。母屋の設計は同じく柳宗悦。柳は、この日本民藝館を世界でも稀な美術館だといった。

それは美の目標を定めて統一された蒐集と陳列を心がけている点にある。多くの美術館では歴史や由緒、はたまた技巧など、色々な立場が寄り集まって展示されている。しかし、日本民藝館は民衆的な品物ばかりを取り扱った。

民藝について

「民藝」と定義された品々は、民衆が日々用いる工芸品を指している。

その中心には民器があり、もともとは俗語として「下手物」といった。「下」とは「並」の意で、「手」は「質」や「類」をさす。柳が生きた当時は「下手物展」などと銘打って一時流行ったようだが、その響きのせいか解釈が奇抜に進んでいった。たとえば「下手物趣味」などの呼称は、怪奇なものを弄ぶ意味になった。

だから柳はあらたに「民藝」という言葉をもってその意義を説きたかった。民藝とはあくまで普通の品物であって、日常の生活とは切り離せない。けっして珍しいものではなく、たくさん作られることで誰の目にも触れるものたちのことだった。柳はこれにもっとも近い言葉は「雑器」だとして、富豪貴族の生活には縁が薄いものとした。

そして彼は美というものを、次のように大きく二つに分けて考えた。まずは「民」と「官」、民本的で協団的な「民」と貴族的で個人的な「官」。「民」は通常の世界に生きていて「無想」「平常心」が伴い、一方「官」は特殊な世界で「有想」「分別心」があるとした。

そしてこれは「工藝」と「工藝美術」の違いと捉えてもよいと彼はいう。わかりやすくいえば職人の作と、美術家の作との違いであって、前者は「井戸茶碗」、後者は「楽茶碗」などを指した。その時代の誰もが携わったものと、美意識をもった特殊な作者のみの世界との違いは、その二つの間に形の近似があっても出発点は異なる。柳は前者の「工藝」を支持する立場をとった。

独創と作為

彼が生きた当時は特に展覧会が流行っていたようだが、柳の目にはそれが個人的でかつ自我が主であるように映っていた。また、多くの鑑賞家がいずれも工藝の美を語る場合、個人的な独創に目を向けていて、もう一方の生活に根ざした没個性的な美は閑却されていることを憂いた。

だから彼は残りの人生を民藝の価値を語ることに使ったのだった。はじめ『工藝美論』と題した著書は、補筆され『美と工藝』、そしてさらに書き加えられて『民藝とは何か』（講談社）に改題されていく。そのなかに次のような文章がある。

——温室の花をのみ美しい花と見る時、人々はしばしば野の花の美しさを忘れました。その加工せられた贅沢な富貴を誇る花にもある美しさはあります。しかし自然の光に浴するあの活々した野花の美を忘れるのは、正しい見方でしょうか。あの虫に犯され易く、冷気に堪えない温室の花のみを賞むべきでしょうか。私は見棄てられた自然の花を工藝の世界で弁護しようとするのです。

柳はなぜ特別な品物より、かえって普通の品物に美しさを見たのか。それは一つに、作る際の心の状態の違いによるとした。

つまり、「有想」より「無想」のほうが清い境地にあると考え、花のたとえもその指摘によるものだった。だから彼は「意識」より「無心」、「主我」より「忘我」、「在銘」より「無銘」を尊んだ。この考えはいずれ、「個性」よりも「伝統」を重んじるほうがよいというところにまで行き着き、個性的な独創をそのまま良しとはしなかった。

しかし私自身は、藝術において「独創」は重要な一要素であると考えている。だからはじめ、柳のこの指摘を鵜呑みにすることはできなかった。ただ、よくよく考えるに彼がそう言った背景には「作為」に対しての嫌悪があったことを知った。

誰もやっていないことを作為的に表した独創は真の独創といえるだろうか。私のなかに起こったこの問いは、近代藝術家の書において、誰を取り上げて論ずべきかと悩んだ際に常に意識することがらになった。

ただ単に変わった字を書いていれば良いということではあるまい。

「こと」と「もの」

さて、柳は『民藝とは何か』のなかで「一つとして工夫をこらしたもので素直な作を越え得たものがない」と胸の内を語っている。さらに「秩序ある結合の美よりさらに美しい孤立の美はあり得ない」とし、「個性の主張をしてなお言葉なからしめる自然の意志」の厳かさを讃えた。

そして「すべての焦慮も自然の摂理の前には沈黙を余儀なくされてくる」と考えた。

つまり、自然であることは個の主張をせずに調和することであって、不自然な創作は場を乱すことになる。だから彼は自由な創造より伝統を重んじたのだった。

そして個人より協団の力を信じた。ただし彼が嫌った「独創」とは、あくまで不自然な主張のことを指すのだと、ここで留意しておきたい。模倣や作為に頼らず、自らの心にしたがって自然に生まれた独創は有り得ないのだろうか。このことはこの本を執筆するにあたって明らかにしたいテーマのひとつだった。

それを探るうえで柳の考えは無視できなかった。独創を嫌った彼はいったいどのように美と向き合ったのか。まずは『茶と美』、『民と美』とともに三部作を成す柳の著書『物と美』（『柳宗悦選集』第八巻所収）に注目したい。

この序文で柳は「知る」ことより「見る」ことの方が、物の理解にとって如何に大切かを説いている。「美」を語る際、つねに形ある物に即して考えを述べるべきだとし、「美しさ」という抽象概念は、「美しき物」をもって語ることで具体性が出ると考えている。つまり、物が見えるということが、美を見るということだと彼はいう。知識が多くあるからといって「もの」が見えているとはいえない。「こと」に詳しいだけではなく、しっかりと「もの」を中心に考えることが大切だと説いている。

そして、その「もの」を中軸とした藝術こそ茶道だとした。美しさを「見るもの」からさらに「使うもの」に移したのが茶道だと。生活と器物とを結ぶ道として、品物を生活のなかで如何に味わえるか。柳は茶道を「物を介する美の生活化」と定義した。

しかし、彼は当時の茶道に疑問を持っていた。それは「もの」を見ることを忘れて、「こと」から見るに至った茶人が周りに多いからだった。「大名物」といわれる茶道具をその尊称で愛してはならない。つねに「もの」から「こと」へと進むべきだと彼はいった。

他力道

知ることが主になってはならないと警鐘を鳴らした柳。だから頭脳が良いからといって美学者になることは慎むべきだと著書で強調する。

そして中世ヨーロッパの神学者トマス・アクィナスの言葉を引用するのだった。

ただ、美しさを見たとしても、知るところが乏しければしっかりと見ているとはいえない可能性を指摘しつつ、見ることと知ることが入り混じった境地が望ましいと考えたのだった。

――神に就いて何も知ることは出来ないという言葉ほど、神に就いて知っている言葉はない。

美というものもこれと同じで、けっして言葉で言い尽くせぬところに美はある。しかし、それを多くの人びとに享受してもらうために、柳は可能な限り模索し、ことばにした。彼の著書『神に就て』（西村書店）では歴史に名を連ねる偉人を振り返り「否定の道」を明らかにしようとした。

達磨大師が禅の道を聞かれたときに「不識」と答えたことや仏教における「非思量」さらには「無義の義」、またドイツの哲学者ニコラス・クザーヌスの「無学の学」などを例に「空観」の大切さについて綴った。

柳は、究竟なものに達するためにはあらゆる断定を否定しつくさねばならないとし、またそれ自体に名付ける名はないが、やむなく古人は「無名」としたことに注目している。

そして行き着いたのが「他力道」だった。一蓮院という僧侶の「助かるつもりか、助けられるつもりか」ということばに彼は真理を感じた。この一言にすべて集約されていると思った。愛されるように自我を出さぬことこそ最良としたこの考えは、柳宗悦の工藝に対する基盤となったと予想される。

そして宗教と工藝との間には縁があり、これを結びつけようとしたのだった。

用の美について

柳が考える工藝の美の根幹には「用の美」という思想がある。それは美しさのために作った器よりも、用のために作った器のほうがさらに美しいとする考えで、用途に即さずして工藝の美は有り得ないとした。

柳は当時、美と用とを分離し、用を離れるときに美に近づくという考えをもって活動していた工藝家たちの現状を批判的に見ていた。『工藝の道』（講談社）では次のように語る。

――されば地と隔る器はなく、人を離る器はない。それも吾々に役立とうとてこの世に生れた品々である。それ故用途を離れては、器の生命は失せる。また用に堪え得ずば、その意味はないであろう。そこには忠順な現世への奉仕がある。奉仕の心なき器は、器と呼ばるべきではない。

柳は、工藝の美は奉仕の美であるとした。私たちの生活に仕える身である器たちは、淫らな形を慎み、相応しき体を整えるから簡素で健全。務めを果たすとき、人に正しい行があるがごとく、器にも正しい美しさがあると考えた。用と美とが結ばれるもの、それこそ工藝であると彼は定義した。

　ところで数年前、民藝を取り上げた展覧会が都内で催されていた。柳宗悦によって美を発見された品々は、私の人生でまだ出会ったことがなかった民藝の歴史を詳しく教えてくれた。展示の終わりに映像が流れるブースが設けられていた。そこではある陶工が煙草をふかしながら、ときには語らいつつ、ときには笑いながら作業を繰り返す様子が映し出されていた。それに合わせて流れる柳のことばは、記憶するかぎり次のような意味合いのものだった。

　同じ作業の繰り返しで一日に何百も作られる品々。反復の単調さは人に技量の完成を与え、その完成は技巧すら忘れさせる。そして何を作り、何を描くかすら忘れてひたすら手を動かす。そこには技術への躊躇いがなく、意識への患いがない。「平常心」の境地から生まれる民藝品は、作られる美ではないのだと彼は画面のなかで印象的に語っていた。

　工藝の美は地方色を色濃くうつす。土地土地によって寒暖があり、自然の様相が異なる。これによって工藝にも変化が起こる。そこに現れる多様性は地方性と関係すると柳はいう。器や織物に土地の名を冠したものがあるという現状を鑑みると、すべての工藝は処を無視しては語れないのは確かだ。

しかし、資本制度は手仕事を著しく減らし、機械化は器から美しさを取り去ってしまったと柳は感じていた。そしてその現状を憂い、「美の下降は文化の下降」だと断じた。当時は「安かろう悪かろう」の時代で、安価な大量品は粗悪に陥ると、柳も御多分に漏れずそう思っていた。現代は技術の進歩により粗悪な品は減ったが、土地を離れた器が増えたのも紛れもない事実。

「もの」を見て、自然を想起させる力がひとつ失われたのは私も寂しく思う。

――美術は理想に迫れば迫るほど美しく、
工藝は現実に交われば交わるほど美しい。
（『工藝の道』より）

美術には偉大なものとして仰がれる、近づきがたい尊厳さがある。しかし、工藝の世界はわれわれに近づくほどその美は温かいのだと柳は語る。共に暮らす身であるから、近く親しみたいと思っていた。そしてこの考えは、私に次のような疑問を浮かび上がらせた。

では「書」というものは、はたして美術なのか、それとも工藝なのか、という問いである。柳も書をよくしたひとりだった。

書の模様化

彼が江戸時代の本阿弥光悦の書を語るとき、光悦の書自体は評価したが、俵屋宗達が描いた書の下絵との調和に関してはあまり好ましく思っていなかった。光悦のことを美術家と評していることからも書に対する立場の相違が垣間見えるだろう。

つまり、柳は書も工藝として考えていた。だから個を捨て、読みやすさ、伝わりやすさを主軸に置き、文字としての第一義を重要視したのだった。

しかし、ただ読めればよいという考えには留まらなかった。彼は工藝という視点をもって「模様としての書」を目指していく。著書『物と美』のなかで「書の美」についての考察がある。

——漢字は幾つかの要素から組み立てられる。縦と横と斜と、是等に添へて点や撥ねや角や曲りや幾個かの部分から構成される。是に一定の法を与へずば乱れて了ふ。乱れれば読むに堪へぬ。書は書法を招くのである。技藝とこの法とが結び合って漢隷が生れた。

（中略）

ものの姿を単純化し結晶さす時、そこに模様が生れる。隷は書であって模様である。なぜ波磔が隷に来て要求されたか。模様への求めが書をそこに導いたのである。さうしてものが模様に煮つまる時、ものの美は愈々冴える。漢隷の美は模様の美である。

まず柳は書道の歴史のなかでもとくに漢時代の隷書体について好意を持っていた。この時代になって線に当たりが生まれ、形に法が生じたとし、ただの記号ではなく一つの模様にまで高められたものだと見た。なかでも隷書特有の波磔と呼ばれる波状の払いを、模様化した顕著な例と捉えた点が彼らしい。

文字はどのようなときに工藝化を求め、模様となるのか。柳はまず私的な文字使用の例として手紙や草稿などを挙げ、これは無造作に筆を運ぶから行書か草書の場合を選ぶが、公として用いる場合、たとえば書物や碑文などは隷書や楷書が木版や石に彫るのに適しているのではないかとした。このときに文字は模様化する。その最たる例を明朝体の活字だとし、定形でありながら装飾的、型こそものの工藝化だと定義した。

しかし彼は手で書く場合でも、とくに多く書き記すときなどには一定の型に入り、文字は模様化を受けることがあるとした。写経や稽古本などがその顕著な例で、これらに美を感じた。だからこそ柳宗悦の書もまた、模様化を目的とした書だった。

柳宗悦の書の原点

自らの思想をまとめた「心偈」。

これの一部は書として書かれ、自ら表具に仕立てた。楷書と片仮名を基本として書かれたこの書もまた型に入っている。心偈は、元々品物の箱書きを頼まれたことが縁で作った短い句だった。

結果的には「仏偈」「茶偈」「道偈」「法偈」の四部立になったが、もともとは物偈としたものをより自由なかたちで発展させていったのだという。物偈は染色工藝家の芹沢銈介が型染しており、また、晩年病床に伏していた柳のもとに板画家の棟方志功が七十七点もの作品を板画にし届けたことにより、今に残っていることばたちである。

その中の茶偈は「一フクメセ茶衣メサデ」から始まる。良い茶衣など、外の姿を整えても内の心が整わないと茶にはならない。当たり前の茶があまりになさすぎると柳は当時の茶を憂いていた。それは平常のままで茶をたしなみたいという彼の茶に対する想いが感じられることばだった。

他にも仏教経典のことばを自分なりに解釈し、日本語の響きとして残したものも多くある。わからぬ禅語を掛けるより、用の美にかなったことばを愛でる姿勢がそこにはあった。

彼のその発想の原点には、江戸時代の古写本「御文章夏の御文」（図版）が影響したと私は考えている。これは、真宗の教えを新たに解釈したもので、柳は片仮名体ではこれ以上のものはないといった。雑誌『民藝』の扉で紹介し、読んで読みやすく見て美しいと、ことば少なであったがその書を讃えた。技巧の多い書は罪深いとまでいった柳は、むしろ稚拙でも純朴な書を取りたいと思っていた。

人格はどうしても書に映じる。独創を嫌った彼ではあるが、個人が間接的になった場合、書はときに美しくなるといった。それは版木や石に附したときだとし、拓本の美にも注目したのだった。

だからこそ、芹沢銈介や棟方志功のような才能を見出し、支援したのだろう。

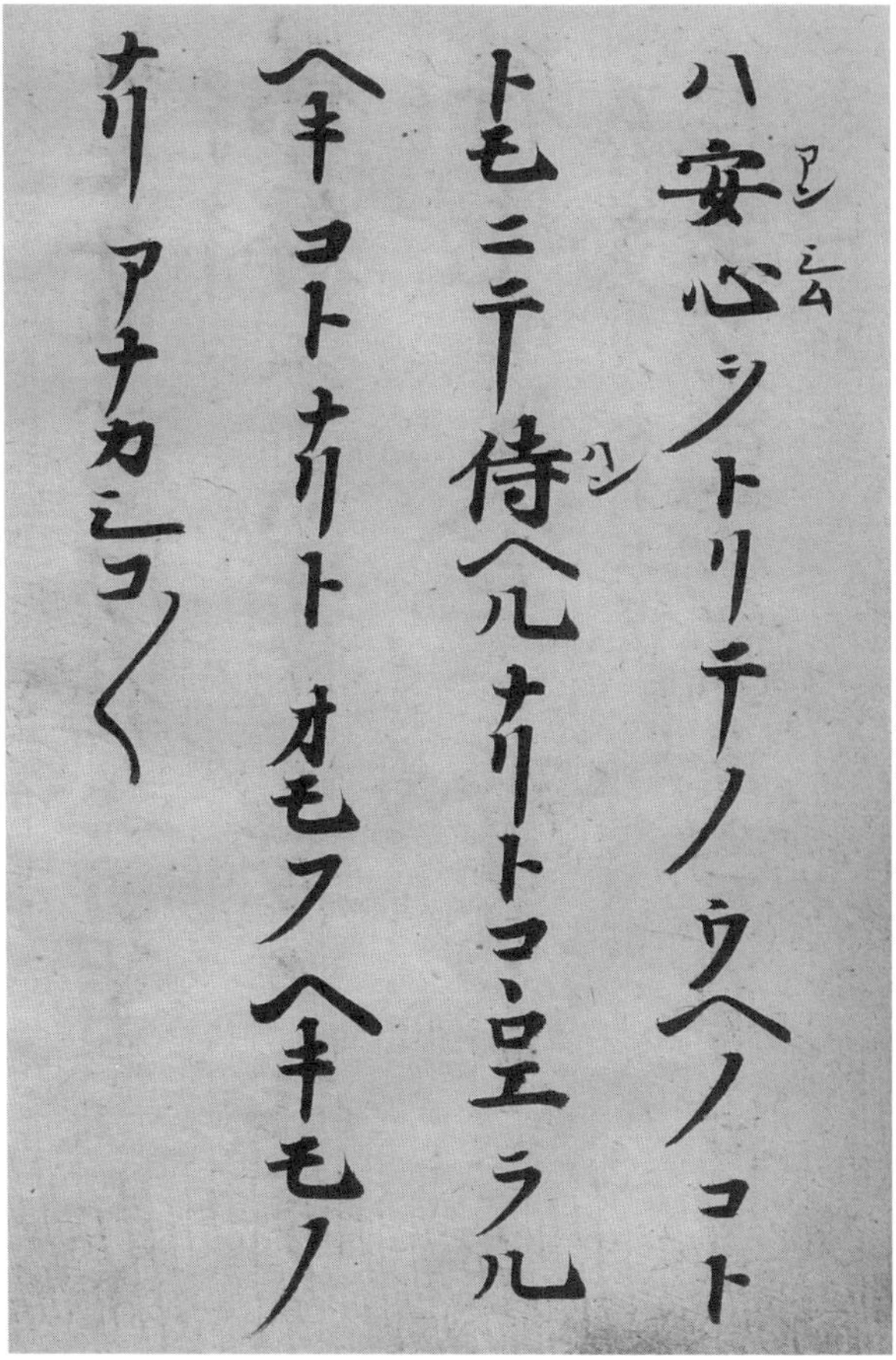
ハ安《アン》心《シム》シトリテノウヘノコト
トモニテ侍《ハン》ヘルナリトコヽロエラル
ヘキコトナリト　オモフヘキモノ
ナリ　アナカシコ〳〵

「御文章夏の御文」

おわりに

――もし功利的な義でのみ解するなら、私達は形を選ばず色を用いず模様をも棄てていいでしょう。だがかかるものを真の用と呼ぶことはできないのです。心に仕えない時、物にも半仕えていないのだと知らねばなりません。なぜなら物心の二は常に結ばれているからです。模様も形も色も皆用のなくてはならぬ一部なのです。美もここでは用なのです。

（『民藝とは何か』より）

彼のいう、心に仕えないときは物にも半ば仕えていないということばは書の場合にも当てはまるのではないだろうか。柳は書を工藝として捉え、模様化した。柳の思想に感化され民藝運動にも参加した芹沢銈介が、さまざまな本の装丁を手がけた際の文字を見ても、模様化とはつまり現代でいうデザインに近いものだということがわかる。

当時の柳には、現代社会においてここまで機械によるフォントが街を埋め尽くすとは思いも寄らなかっただろう。もし、彼が今も生きていたならばこの現状を肯定的に見ただろうか。書はまさに工藝化されたと言っていい。そこに筆者の名前はなく、何を伝えているか明確な文字デザインが並ぶ。

　私は硬筆、いわゆるペン字の手本も書くが、世に「美文字」と称される文字とは、まさに型にはめた書である。柳宗悦の考えに触れて、これらの仕事は工藝ではないかと気がついた。しかし今までの私は、書は美術ないし藝術としてしか捉えていなかった。書には工藝の面もあることを柳宗悦から学んだ。それでも柳の書と対峙したときに、彼の思想や人間性をうつして見てしまうのはなぜだろうか。

　かつて西洋化を目指した日本は、藝術とは何か、個性や独創とは何かと向き合ったが、書もその例外ではなかった。しかし、それには突貫工事の危険さも孕むゆえ、工藝の眼差しをもってそれに待ったをかけた柳の指摘は卓見だったといえる。

　美は用を離れてはならない。ただここで留意したいのは、その「用の美」には柳自身が述べている「心に仕える用」も含まれるということで、書を鑑賞する側の心には何が響くのかを考察する必要がある。

　書かれた内容が第一義であることはいうを俟たないが、それを書くに至った人物の思想を思えば人間不在のフォントでよいわけがない。

柳自身は書においてなるべく独創を出さないように努めたが、その謙虚な書には皮肉にも人格が充分に表れている。

彼が数々の著書を残すに至った「工藝品の機械化」。これと同様の問題が今、書においても起こっている。土地や人を離れた器に工藝美はないと彼はいったが、フォント化された文字は「書」とはいわない。

「書く」とはいったい何か。そのような問いを想起させる柳宗悦の書は、日本書道の歴史においても機械と人間の差異について、改めて考えされてくれる重要な立ち位置にあるものだと私は思う。

「ドコトテ御手ノ真中ナル」

白井晟一

書と常

東京タワーのほど近く、桜田通りと外苑東通りが交差する飯倉交差点にノアビルは建っている。はじめてそこを通ったとき、異様な佇まいで鎮座するその建物に私は目を奪われた。外観のタワー上部は楕円形で黒くくすんでいて、下部には煉瓦が張り巡らせてある。異様に感じた理由はすぐにわかった。窓が極端に少ないのだ。一九七四年に竣工されたというこの建物の設計者が、白井晟一（一九〇五～一九八三）という人物だとは後に知った。この人は書にも熱心だった。それが白井晟一を調べるきっかけとなった。

　東京南郊を走る郊外電車、その線路沿いの高台に五十坪に足らぬ敷地があった。よって建築面積は十四坪。そんな小型の住宅建築を白井晟一は引き受けた。構造材の中心は施主の郷里から送られた杉だったが、造作や建具にはラワンという合板用材を用い、クレオソート油やオイルステインなどを塗った。また、屋根は緩勾配の鉄板瓦棒葺で軽構造だが、松丸太も準備され、将来瓦葺に替える場合を考えて和小屋の伝統的手法にならった。

　このころ、都市の木造小住宅の構造材は防火地帯かどうかにかかわらずモルタルで塗りつぶされることが多かったという。近代数寄屋というような日本瓦の屋根とリシン壁で造られたこの様式は、当時はよく採用されたようだが、白井はその通気性の悪さから決して用いなかった。彼はしばしばこの様式は土台や柱、軒周りなどの腐朽が早いと指摘しており、防火地帯では本来不燃材料で造るべきだし、木造が許されるなら木材は吸湿性の強いモルタルなどで被蔽しない工夫がいると考えていた。

　いまや技術の普及により、過去に苦労して作り上げたものであっても、あっという間に再現が可能な時代になった。促成栽培のごとく出来上がった建築というのは、ときに利権と関わることによって手抜き工事を生み出すこともある。

　白井はけっして長いとはいえない人間の生涯は、風雨や地震に耐えられる安心した住居で過ごさなければならないという。当たり前のことのように思えるが、彼のエッセーにちりばめられたことばの端々には一貫した信念が感じられる。

簡素な美

白井は「装飾」を嫌った。日本の建築は構成そのものに美的効果を内在させるものであり、外国の建築におけるいわゆる「装飾」の意味と役割は必要ないと考えた。そして、西洋建築のように眼の錯覚を利用した空間効果などとは異なった、伊勢神宮を代表とするような日本の伝統的建築の簡明な形式の美しさに目を向けていた。

白井は日本建築史を通観し、鎌倉後期の武家建築が「単純」を目標としたことは、禅の「空」や「無」などの精神的浸透が契機となることで、太古の建築精神を甦らせたものだと理解した。さらに室町では、その「単純」の理想を確立しながらも「簡素」という創造形式を獲得するまでに至ったのだと確信している。

白井はエッセー集『無窓』（晶文社）のなかで近代建築について次のように語る。

> ――白い漆喰壁とくすんだ木部との諧調は、新旧を超えて素朴な故郷の感覚だと思う。この構造・意匠を一体とする「システム」でつくられる簡素な諧調は充分近代建築のはげしい陶冶に堪える対象となり得る。

眼の錯覚を利用した空間効果はいらないと彼はいったが、白井の書を初めて見たとき、私はかつての日本民家のような飾り気のない趣を感じた。僧侶の書、いわゆる墨跡もそうだが、簡素な造形の文字であっても床の間に掛けられたときにはしっくりくる。白井は、国民文化の表徴が平安朝や桃山文化の復元や変形であったり、あるいは無条件信仰のようなヨーロッパの真似事に終始しているようなことでは日本の創造の進歩はないと感じていた。

「われわれが欲しいものは最高の借り物ではなく、最低の独創であるべき」だとし、そのためには「この土の上で、自主の生活と思想の中から世界言語を発見するよりほかない」と考えた。世界標準に合わせるのではなく、自身の環境をかえりみることで個性を模索していくことが大切だと。漆喰壁と木には流行に媚びない不変の魅力があると白井はいったが、この感覚をもって書いた彼の書にもまた、新しさはないが同様の美を感じる。

——総ての芸術はその創作的活動がはじまる時には、それが成立するためにいろいろの条件を必要といたします。まず方向を決定してこれを身につけねばなりません。それには個性が素因となる即興を統一して不安定な精神を的確に把えねばならないのです。

（『無窓』より）

書というものもこれに当てはまり、ことばや思想という不安定な精神を「書く」ことで実体化させ、またそれを自身でかえりみる。書は自分をうつす鏡でもあると仮定したなら、それは自身の方向を決定していく重要な作業だと私は考えている。

特異な工夫

渋谷に白井が建てた松濤美術館というものがある。この二階にはサロン・ミューゼという飲食スペースが設けられ、中央にゆったりとした革張りのソファが置かれている。驚くべきことにここは、単なる喫茶店ではなく展示室として作られたのだった。つい、美術品を眺めながらお茶を飲めるなんてなんと贅沢なことかと思ってしまう。

変わった例は他にもある。芹沢銈介美術館「石水館」では展示室にわざわざ噴水を仕込んでいる。これらの工夫は、通常の美術館を管理する側からしたら大変なことだろう。美術品を傷めてしまう恐れがあるにもかかわらず、白井は常識的には有り得ないことをやった。ただし、噴水に関しては結果的にはすぐに止められてしまった。

また、親和銀行の大波止支店を手がけたときには、多くの客が漁師で

静岡市立芹沢銈介美術館

長靴履きであることをわかったうえで、あえてバンキングホールに絨毯を敷くんだといって揉めた。汚れることはそれだけ客が多いということだからサービスをしていいといったらしい。

以上のようなことがらは、市民に美術品を私有する意識を植え付け、そしてその日常空間における生き生きとした流れを建物のなかに生み出したいという、白井ならではの意図が垣間見える事例である。

戦争と原爆の図

私がまだ大学院修士課程のころ、教員免許の書道だけでは就職が不安で、国語の資格も取得しようと科目等履修生として大学に通っていたことがある。授業はもちろん学部生に交じるかたちの履修であったため、四歳下の後輩からはどの授業でも変な気を使われた。ある授業でグループ発表をすることになり、リーダーを選出、そして発表内容を選ぶときがあった。周りの目はあきらかに自分に向いている。居心地の悪さを感じつつ、リーダーを引き受けた。

ほとんどのグループは提示された

リストのなかから、「いじめ」や「体罰」などを選んでいる。そのなかでひときわ手がかかりそうな課題があった。「戦争」である。

そのときの自分の気持ちは今でも鮮明に覚えている。これまでの人生で歴史的事実は知ってはいたが、何となく目を背けていた戦争。就職を選択せずに進学した自分には幸い時間はある。今まで知ったかぶりをしてきた戦争というものに今回向き合えば将来教師になれたときの自信につながるのではないか。そんな期待を持って「戦争を選びたい」と発言した。

周りからは面倒臭い人と同じグループになってしまったという視線を感じたのはいうまでもない。唯一の救いだったのはそのなかの一人が「私も真剣に取り組んでみたい」といってくれたことだった。

やはり「戦争」を選ぶ学生は少ないらしい。授業の後、指導教諭に話しかけられた。そして、その方と仲の良い平和学を専門とする教育学部の先生を紹介してもらった。

この出会いは自分の人生にとってかけがえのないものになった。この先生の研究室には週に何度も通い、戦争とはなにか、平和教育とはなにかを考える毎日を過ごした。けっして答えを教えてはくれない。こちらが考えたアイデアを話せば、すでに実行し苦悩した歴史上の人物の人生を紹介してくれる。ある思想には、つねに相手が存在する。どちらの立場も納得するのは容易ではないことを知った。かといって戦争はなくならないと思ってはいけない。

その先生のもとで私が得たことは、戦争がなくなるとかなくならないとかそういう問題ではなかった。なくすんだと本気で思うこと、そう思える人間が増えるように歴史を色褪せさせてはならない。ジョン・レノンはイマジンと歌ったが、想像することこそ人間の魅力であるということを学んだ。

あるとき、先生が提示してくれた中に丸木夫妻の原爆の図があった。日本画家で水墨表現を得意とした丸木位里と、洋画家の丸木俊。一見、水と油で溶け合わないはずの二人の絵は、原爆の図では見事に調和し、まるで鎌倉時代の地獄草紙のような趣を醸し出していた。

それを見たとき、グループ発表はこれにしたいと思った。そして丸木夫妻の歩みをまとめたのだった。

原爆堂計画

一九四五年八月六日、広島に原子爆弾が投下された。広島出身で、このとき親類縁者の多くを失った丸木夫妻は、原爆投下後三日目には広島に入り、その惨状をまざまざと見た。このときの体験をもとにして、ふたたびこうした惨事が起きぬよう描かれたのが屏風十五部、原爆の図といわれる大連作だった。そして何と、この原爆の図を収めるための美術館を勝手に作ろうとした者がいた。それこそが白井晟一である。

一九七二年の朝日新聞社『幽霊 原爆の図世界巡礼』のなかで、丸木俊は原爆堂計画について語っている。知らぬ間に進んでいたことへの驚き、そしてそれがもし完成したらと、夢を膨らませていた。

——白井晟一先生は、長い間、この設計に没頭され、ようやく完成したのだ、と幾枚もの青写真や写真を見せてくださいました。円筒をかこんで正方形の画廊がついている、そうして水に浮んでいる。それがそのまま原子雲の姿にも見え、だが、それは、悲劇を転じて幸いとなす、花のように水に映じている、そんな幻想に似た設計です。

　計画が発表された当時、美術館にとどめず「堂」とすべきだとの意見も出たという。そしてのちに原爆堂と呼ぶようになった。湯川秀樹や吉川英治、朝倉文夫など名だたる人物が発起人となって、この計画は進んでいった。もし、これが実現したならば、各国の芸術家に作品の寄贈依頼をするつもりだったという。「二〇世紀の芸術家たちが、平和のためにどのようにして、この原爆の破壊と闘ったかという、一大モニュマンができ上がる」と丸木俊は夢を膨らませたのだった。

　しかし、この原爆堂計画は残念ながら実現せずに終わった。頓挫した理由は明らかになっていないが、一九五六年三月五日の朝日新聞の記事から察するに、この年に「原爆の図」（十部作）が中国へ渡り、その後、約十年にわたって世界二十カ国以上を巡回する大規模展覧会へと発展していったこと、丸木位里が「急いでみてもやれぬ。いい仕事なら無理をしなくとも熱心な協力者が出てきて必ず機運が向いてくる。そういう時機を待てばいい」と語っていることから、なかなか資金繰りや理解者が集まらなかったのかもしれない。

　きっと完成していたら、白井晟一

の名は誰もが知るところになっていたにちがいない。

縄文的なるもの

　原爆堂計画が発表された一九五五年、『新建築』編集長・川添登は、建築界に伝統論争を仕掛けた。五五年の一月号に丹下健三が「近代建築をいかに理解するか」を寄せ、それを皮切りに翌五六年までにさまざまな人物が論陣を張った。そして、五六年八月号において白井晟一が「縄文的なるもの」を発表する。

　この文章の副題は伊豆韮山の江川太郎左衛門の住宅についてだった。江川太郎左衛門（江川英龍）とは、海外からの脅威に対抗して大砲を自力生産するために、日本ではじめて反射炉を造った人物だった。

　私が江川邸を訪れたとき、まず驚いたのは母屋の天井の高さだった。十二メートルもあろうかという大屋根を支える架構は細かに入り組み、七百年以上も崩れることなく保たれてきた。一九五八年に国の重要文化財に指定されたときに修繕工事が行われ、それまでの茅葺屋根は銅板に変更された。「茅山が動いてきたような茫漠たる屋根」と白井は表現したが、以前はまさにそのような雰囲気を有していたのだろうと想像できた。

　また、内部の柱は、ノコギリなどないころの手削りの荒々しさがある。そして組まれる際も釘を一本も打たぬばかりか、支柱の土台には巨石があり、その上にただ乗せられた大木が立派に母屋を支えていた。

　白井は文化の香りとは遠い、生活の原始性の強さというものを江川邸に感じていた。そして江川英龍を近代戦術の創始者として、またすぐれた経世家としても称賛していた。その江川邸のほど近くに、鉄製大砲を鋳造するために韮山反射炉は造られた。瓦職人に耐火煉瓦を焼かせ積み上げ、安政四年（一八五七）に完成したという。この韮山反射炉の佇まいに、白井建築を重ねてしまったのは白井も多く煉瓦を使ったからだろうか。それだけでは説明できない趣の共通性を私は感じた。

> ――西洋人が二〇グラムのダイナマイトで小鳥を射落す。日本人は目をみはりつづけてきたのである。

　このような印象的な文章から「縄文的なるもの」は始まる。原子爆弾もそうだが、人間の絶え間ない探究心は手に負えないほどに技術を進歩させた。韮山反射炉を造った江川英龍もきっと純粋な探究心で大砲を作ったのだろう。

　ただ、それを扱う側が慎重にならねばならない。一度手に入れたものは容易に手放せないのが人間の性かもしれないが、とはいえ失敗や惨事を他人事にすることなく、ふたたび似たような事例を作らないように語らうきっかけを残すこと。白井晟一の原爆堂は完成こそしていないが、われわれに想像させるだけですでに大きな意味がある。白井は驚異的な技術を持つに至った人間の営みにこそ目を向けたのだった。

　ところで、「縄文的なるもの」は、伝統というものを縄文と弥生の葛藤のうちに捉えようとしているところにもその特色は表れている。

——縄文・弥生の宿命的な反合が民俗文化を展開させてきたという考え方は、究竟では日本固有な人間、歴史性に日本的形姿として定着させたアポステリオリなものの偏重への反省であり抗議である。

　いささか読みにくい文章であるが、解釈は後にして、後半では次のように語っている。

——われわれ創るものにとつて、伝統を創造の契機とするということは終結した現象としての型や手本から表徴の被を截りとつて、その断面からそれぞれの歴史や人間の内包するアプリオリとしての機能を感得するとともに、われわれの現実へ創造の主体となる自己を投入することだといわねばなるまい。

この文章の理解のために二つの言葉に注目したい。「アポステリオリ」と「アプリオリ」である。前者を直訳すれば「後天的」、後者は「先天的」となる。経験を通して得た知識に対して、自分は何をなすべきかと考えることの違いと捉えても差し支えないだろう。

日本人的なものに囚われすぎると形ばかりを追ってしまう。経験による歴史の理解は大切だが、それを形作ってきたものたちは、自分のすべきことを先天的に理解し実践してきた結果として歴史に名を連ねてきた。

白井は、空海や時宗、あるいは雪舟、利休の名を挙げ、これらの人物たちの仕事に縄文的な鼓動を感じている。そして「人と時代の生活・精神を実存として統一し、これを永遠な価値に昇華させる力量は、あるいは個性や時間を超えたものであろう」と称えている。

そして、この一行のなかに登場する「実存」こそ、「縄文的なるもの」

を支える重要な柱ではないかと私は考えている。

ヤスパースと原爆堂

哲学者として「実存」というものに向き合ったのはヤスパースだった。カール・ヤスパース（一八八三〜一九六九）は、ドイツの精神科医で哲学者。ヤスパースの哲学は、本来的自己存在としての「実存」の覚醒へと訴えかけるもので、彼は「独断的真理」ではなく、「交わり的真理」に重きを置いた。つまり、交わりを持つからこそ真理はあらわになるものだと説いたのだった。

当時は実存哲学全般が「主観主義」だという批判も出ていた。しかし、個人が自分自身の「人格」に執着することを正当化することが実存哲学ではないとヤスパースは弁明している。だからこそ、他者との「交わり」を実存の生成に不可欠な条件として位置付けたのだった。

白井晟一は一九二四年、京都高等工芸学校図案科（現在の京都工芸繊維大学造形学科）に入学、卒業後に渡欧し、ベルリン大学哲学科に入る。哲学の傍ら、ゴシック建築も学んだ。そしてここでヤスパースと出会い、師事したのだった。

　自分ができること、いや、すべきことを人間の大きな営みのなかに置いて自覚し、それを行動に移す。白井の、歴史や社会と交わりを持とうとする働きは、ヤスパースから学んだものではなかったか。そして彼にとっての実存的交わりこそ原爆堂計画だったと私は考える。

「縄文的なるもの」を発表する少し前、五四年の一月号に丹下健三が中心となった「廣島計画」についての一七頁の報告が載り、広島の平和記念都市計画が進行し始める。そんな折、ビキニ環礁での水爆実験による静岡県のマグロ漁船「第五福竜丸の被曝事件」が追い打ちをかけるように起こってしまう。

　そして白井は『新建築』の五五年四月号に「原爆堂について」という文章を発表するのだった。「悲劇のメモリィを定着する譬喩としてではなく、永続的な共存期待の象徴をのぞむには、貧しくともまず、かつて人々の眼前に表れたことのない造型のピュリティがなにより大切だ」と語っている。

　一方、原爆堂計画が発表されて三年後、ヤスパースは『原子爆弾と人間の未来』を出版する。その序文は、「一つの全く新しい状況が原爆によってもたらされている。全人類が肉体的に破滅することになるか、それとも人間が自らの道徳的、政治的状態において変化することになるかのどちらかなのである」で始まる。そしてこの危機的状況を打開するには、次のような意識が大切だと説いた。

――大衆の指図に従っての実施というものを可能にするのではなく、むしろ各人に対して、一人ひとりが自分自身として考え、根源的に思索することを要求する。

一人ひとりが自ら考えて生きる。誰しもが内側に根源的な問いかけをし続けることの大切さ。ここにこそ白井の手がけた原爆堂の意義があると私は思う。

内側に満ちる光

白井の自邸「虚白庵」。その廊下に掛かるのは「日光」と書かれた自身の書だった。これは彼の著書『無窓』（晶文社）（図版）の表紙にもなっている。

白井の生活を想像したとき、この書を自邸に掲げた意味について興味が出た。まずは彼の思想を知ろうと文章を読み漁ったが、哲学めいた言い回しの文章に苦戦し、すぐに理解することはできなかった。そこで私は、白井建築との向き合い方について先学に頼ろうと図書館に通った。手にしたのは『白井晟一の原爆堂四つの対話』（晶文社）だった。そのなかに収められている「岡崎乾二郎建築の覚悟」という対談は、自分が白井建築に惹かれる理由を客観的に確かめさせてくれるものだった。

　造形作家の岡崎乾二郎氏は、このなかで白井の自邸「虚白庵」を例に挙げ、白井晟一はロシア神秘主義のヘシカズムに向かったのではないかと推測している。それは、光とは内側を満たす媒体＝精霊のようなものであって、だからこそ暗闇の中で祈っていると光が内側から満ちてくるのだという。その根拠として「虚白庵」の平面プランはそのまま、ロシア正教会の八端十字架を重ねた格好になっていると指摘する。つまり、内側から沸々と湧き起こるエネルギーこそ大切だと、白井自身も考えたのではないだろうかと推測している。

　その虚白庵には窓がない。絶無というわけではないが百平米ばかりの書斎に開口部が一つあるだけで、しかも昼夜逆転生活によって開口することはなかったというから、それはないに等しい。この暗い空間のなかで自身と向き合い、精神を養ったの

「眼蔵」

だろう。そのひとつに「書」もあった。白井は戦後はじめてヨーロッパへ旅し、これを機に以前にも増して仏教思想へ熱心になり、五十歳半ばで書に集中するようになった。小さいときには黄檗山万福寺で作法や書を嗜んだという。万福寺では唐時代を代表する顔真卿の書を手本としたというから仏教と書の組み合わせには親しみがあったのだろう。

　虚白庵の床の間に「妙法」と書かれた軸が掛けられた写真が残っている。他にも白井晟一の書をまとめた『顧之居書帖』などを見ると、「無伴」や「眼蔵」（図版）など仏教に関する語を数多く書いていることがわかる。

「日光」『無窓』晶文社　表紙

「日光」の書も仏教と関連して考えれば、薬師如来の脇侍の日光菩薩を想起させる。一千もの光明を発することによって広く天下を照らし、諸々の苦しみの根源となる闇を滅尽する力を有する。

白井は、書くことをひとつの「行」であるといった。その修養のために、一日の大半を書に没頭することもたびたびあった。いま、白井の自邸に掛かる「日光」と書かれた二文字の書に目を向ければ、窓のない空間の中で湧き起こる光のごとく輝いて見える。

おわりに

> ——もし豆腐に美ありとするならば、体系をもって直接生活にとけている、「用」の美同一の如きものと考えるより他ない。
>
> （『無窓』より）

白井は、エッセーにおいて豆腐の美について語った。豆腐は美の効果を求めて作られるものではないから、誰もこれを藝術とは考えない。

しかし、豆腐作りの過程を思うとき、その技法の修練は、画布のうえに思いつきや熱意のみで油絵の具を重ねることの比ではないという。豆腐は白く真直角で、そこに造形的な奇は認められない。造形的魅力の乏しい豆腐を前に、それを美しいと感じる。白井は「用の美同一の如きもの」といったが、「如きもの」であって、柳宗悦のそれとはちがっていた。

「豆腐」で語られた「『用』の美同一」という言葉は、そのものが完成するまでの作り手の動きを想起することで、動態としての美まで包括する捉え方だと私は理解している。そして縄文には、その動態の力がより濃くあった。行為にこそ美があり、現れたものは結果にすぎない。しかしその結果を前に、われわれ人間は作り手の営みを慮り、美を享受するのである。

白井は、「用」とは一つの生命が他の生命に奉仕することであり、それは同一共同体における「常」のなかで成熟したものだといった。この「常」という概念こそ白井の卓見だと私は思う。ここでいう「常」とは「いつも」という意味で、「用の美」というものが生まれた背景には、人間の純粋ないつもの動き、繰り返す営みがあってこそだとした。そして彼はそれをひとこと「常」と称したのだった。

たとえば白井は、板の上できられる豆腐の音のテンポとリズムにわれわれは親しみを覚えるが、それは信頼のうちに聞き慣れてきた「常」によるものだと説明した。さらに、豆腐作りにおいて、にがり投入の契機をつかむ決断にいたっては、「常」に徹していなければ不可能だと指摘する。

そしてこれらの「常」には、その人物特有の「リズム」が関係していると

静岡市立芹沢銈介美術館

私は思う。日々豆腐を作り続ける職人のリズム、その豆腐を食べやすく刻むリズムがそこにはある。そして、それらを支える「技術」というものもまた、生活のなかで育まれたその人特有のリズムともいい換えることができるだろう。日々の営みにおいて研ぎ澄まされたリズムは、動態としての「常」の美を生み出し、われわれにそれを想像させ、心に訴えかけてくる。

　白井は、内から湧き起こる気持ちをもって日々筆をとった。それはきっと「書く」ことを彼にとっての当たり前の日常にしたかったのだろう。白井晟一の書には「常」の美がある。

中川一政

書と遅筆

一時期、武者小路実篤の書画に夢中になった。全集までも購入し、片っ端から読んだ。それでも満足せず、実篤との思い出を語る同時代を生きた人たちの文章も図書館に通って目を通した。そのなかでもひときわ実篤を尊敬する人物がいた。それが中川一政（一八九三〜一九九一）だった。

　画家中川一政という人物の名はかねてより知っていた。それは画家の名声というより、独特な書を書く人物としてだった。学生時代に書道雑誌を読んでいたとき、戦後の書壇を牽引してきた西川寧が、中川一政という書壇ではない人物の書を褒めている記事を見た。それで印象に残っていた。あらためて雑誌『書品』をひらいてみると、ふたりは古い付き合いらしい。

　西川寧の話によると、一政の書の遍歴はけっして短くないという。多くの解説では、若いときには書に余り関心がなかったと一政本人が語るから、書への興味は戦時中に江戸中期の禅僧、白隠を見たときに始まったと書かれる。だが、西川にいわせればどうやら違うらしい。一九二一年ころ、一政が巣鴨にいたときは油絵の合間に水墨画、そして書をよく書いていたそうだ。そのとき一政は二十八歳、西川は十九歳だった。大人になった西川はのちに、一政の書のことを「骨法が実によくはたらいている」と高く評価していた。

一政の絵について

あるとき急に仕事が休みになったので、思い立って真鶴にある中川一政美術館を訪ねた。

一九四九年、一政五十六歳のときに真鶴にアトリエを構えてここを拠点とした。その後、九十八歳を目前にして亡くなるまで精力的に創作活動を行った。美術館は現在六百五十点もの所蔵作品が収められ、常時八十点が展示されている。作品を見て回り、徐々に一政の仕事への理解が深まってきたところで、二階の大きい油絵が飾られた部屋に至った。

その部屋には主に駒ケ岳が描かれた絵が何枚も並んでいた。そのなかの一枚と向き合ったとき、私は鳥肌が立った。その絵は建物の構造をある意味無視したような構成で、そのまま写し取る写生ではなく、その対象を通して自身に潜むパワーの盛り上がりを描いているように感じたからだった。とくに駒ケ岳シリーズは圧巻で、ある意味で自画像に近いのではないかとそのとき思った。

帰りに図録を購入しようと売り場を見ていると、敷地内の施設にアトリエを移築しているため見学可能との貼り紙が目に入った。折角だから見てみようと声をかけたところ、鍵を持ってわざわざ案内してくれるとのこと。少々申し訳なく思いながら歩いていると、その道中で話をふられた。

たまたま案内係になったのは二十代前半の男性で、「お一人で来られるほど中川一政先生の絵がお好きなんですか」と質問された。そのとき私は三十代前半だったが、どうやら若い男性は滅多に来ないらしく珍しく思ったらしい。話をしてみると彼はまだ美術館に勤めて日が浅く、中川一政の作品が好きでここを志望したわけではなくて、就職したあとでその理解に努めようと今一生懸命勉強しているところだという。そこで、その日得た感想と感動を伝えたところ、紹介したい人がいるとある方の名刺をもらった。

佐々木何某と書かれたその名刺には、銀座で経営するギャラリーの名前も記載され、こちらを訪ねるといいといわれた。この方は、中川一政の晩年約二十年、家に住み込んで身の回りのお世話をされた佐々木惣助(ペンネーム)さんだった。中央公論社から『晩年の中川一政先生』という

『中川一政 いのち弾ける!』

著書も出されている。そのご縁に甘えて、後日、佐々木さんのもとを訪ねた。

急な押しかけにも親切に対応してくれてお話をする機会を得た。早速、一政の絵の見方を問えば「今の自分が感じたままでよいと、一政先生は周囲にはしきりにおっしゃっていた」と教えてくれた。こちらから強制するのでは駄目で、人は自分の美のものさしに合う良さしかわからないと。

それでも私が得た感想を伝えると、昔の話を交えて理解をしめしてくれた。佐々木さんによると、一政が絵を描く際、山なら山、花なら花と、必ず実物と向き合ってそのエネルギーの跳ね返りをキャンバスに打ち付けなければならないと語っていたそうだ。私が一政の絵と向き合って圧倒されたのは当然のことだった。

中川一政の著書『我思古人』（講談社）に、仲の良い洋画家、小杉放庵と庭の池にいる蛙を見ていたときの回想が載っている。一政は蛙が好きで山形でも富士でも描いた。どの蛙も蛙にちがいないが、これが羽前の田圃の蛙かと思い、越中の蛙かと思うと、蛙もわが身もあわれで趣深く感じた。蛙は蛙だと一括りにせず、その環境で精一杯生きる一つの命としてしっかり向き合う。これは一政の芸術的眼差しがよくわかる例だと思う。

斎藤茂吉の書に「実相観入」というものがあるが、この考えを一政は作画の上にもっていく。写生というと描くものと描かれるものがある。この二つは向かい合う。その間には当然距離というものがあるが、この二つのものを一つにしたいというのが一政の考えだった。それを端的にいい表した茂吉の「実相観入」に、いたく感心したと自身の著述で語っている。

「人間が画などに縛られたらつまらない」と断言した一政は、構図を精密に描いたり、人に評価されることを目的とせず、毎日同じ題材を描いても日々違う仕上がりをみせる自分の絵を生涯楽しんだのだった。

一政の読みやすい書

あるとき、一政のところに新聞記者が訪ねに来たことがあった。その新聞社で書の展覧会をしたそうだが、特選になった書がどれも難しくて読めないという。書家にきいてみても書家も読みかねたというらしい。そこで今の時代に読めない字を書いていたってしょうがないのではないかと、率直な気持ちを一政に伝えた。

すると一政も以前、漢文の難しい字を書いている人に「自分の文章の文句でも仮名まじりで書いたらどうだろう」と提言したら「それは難しい」とあしらわれたことがあったと自身の経験を語った。現在も書道団体の展覧会は漢字なら漢字部、仮名なら仮名部、漢字と仮名をまじえて書いているものは調和体部や近代詩文部など、部門分けがなされている。一政に提言された人物も、書壇の常識と照らし合わせて受け答えたのだろうが、一政にとってそれは理解できぬことだった。

そんな書壇の中枢にいながら一政と付き合っていたのが西川寧だった。彼は、中川一政の『書の本』が求龍堂から刊行された年に、吉井新館で催された一政の書展を見にいったという。そのときの感想を次のように語る。

――この頃の書家の展覧会には一字だけ書いたものがよくあるが、中川さんのにはそういうのがない。万葉の歌とか赤壁とか唐詩とか梁塵秘抄とか、長いのも短いのもあるが、とにかく何か文句が書いてある。私は順に作品をながめながら、その文句を読む。歩をうつしてゆくうちに、それを一々読んでいたことに後から気づく。知らぬ間に一々ちゃんと読んでいたのである。ということはあたりまえといわばいえ、実は近頃の書の展覧会を見ると、大てい読むことを忘れている。近代の書は読む書ではなくて見る書である。読む書から見る書に変ったと書家はいう。昔の書は、書の表現というものは二の次で、詩文を詩文として人に伝える為の道具にすぎなかった。今の書は表現として見るものとなったので、読むということは二の次だという。

(中略)

書く文句は何でもいいし、文句を途中でちょん切っても平気だし、書く当人が読めなくても平気で、ただ字数を必要なだけ取って利用するだけのことしか考えぬ、不趣味極まる野蛮極まることになってしまう。しかしその芸術的と称する姿には、技巧とケレンといや味一ぱいのものでしかないものが現れる。だから見る書だという、その見所は技巧とケレンといや味にあるということになるのか。そんなことで展覧会へ行くと読まなくなる。それどころか見たくもなくなり、行きたくもないともあるわけだが、ここまでいっては話がこわれるから、ここで止める。さてこんなわけで、中川さんの書展へ一歩踏み入ったら、知らぬ間に読んでいたということは、私にとって、余程変ったことになるのである。その日、中川さんにお目にかかったときも、思わず読んでしまいましたよと言ったら、けげんな顔をした。

（「書品」昭和四十九年四月号より）

西川寧は、当時の書作品を技術や演出ばかりで嫌味なものと感じていた。だからこそ、中川一政の書展は新鮮に感じられたのだろう。文字は相手に伝える手段だから読みやすくなければならない。そんな当たり前のことを我々は忘れてしまったのかもしれない。

私も書の読みやすさについて考えさせられる出来事があった。それは十年来営んでいる書道教室でのことだった。あるとき、はじめて筆を持った小学三年生の男の子が「犬」という字を一生懸命書いていた。はじめは筆を寝かして書いていて、とくに左右の払いなどは毛先まで尖らず苦戦していた。教室も終わりに差し掛かり、だんだんと筆を立たせて書けるようになってきた。形といい、すべての筆線が上手く書けたと思って褒める言葉をかけようとした矢先、「ねえ、これすごく読みやすいよ！」と大きな声で嬉しそうに掲げて私に見せた。

形がそっくりに書けたとか、線がかすれなかったとかではなく、読みやすく書けたことが成功だと直感したその感覚に、私は心を揺さぶられた。書の払いやハネなどの技術は、明るく読みやすくするために試行錯誤を重ねてきた長い歴史の結果であって、けっしてそれが目的ではなかったのかもしれない。そう改めて考えさせられた出来事だった。

ところで、中川一政が読みやすい文字を書いた一つの影響に、會津八一の考えがある。ちなみに実際に見に行ったアトリエの書棚には『會津八一全集』が確認できた。一政は會津八一が現代の書の基準を明朝活字においたことを卓見だと思ったそうだ。これは最も生活力があるから我々の日常に浸透していると考えた。

それでもかつて副島種臣の何と書いてあるかわからない書に感動した

こともあったと一政自身が語るから書の理解は一筋縄ではいかない。

一政は「我々を蛇だとすると、蛇が甲羅を経て龍となることがある。鉄斎や種臣の場合はそう考えてよい例だ。もし、その段階を経ない龍が出てきたとしたら、それは張り子の龍だ」といった。威勢を張った線ばかりで龍を演じてみてもそれは張りぼてにすぎない。かといって読みやすければすべて良い書になるという訳ではないことも一政は感じていた。

読めずとも心動かされることがある。それは書の造形と筆線による感動だろう。

そこには何があるのか。これから一政の書への姿勢を通して考えていきたい。

一政の書に対する姿勢

作品集『いのち弾ける！』（二玄社）に掲載される書の図版に「書をかくことは自分を正す事である」と一政の言葉が添えてある。このような書への姿勢は中川一政美術館のフロアーで流れるＴＢＳドキュメンタリー「われはでくなり」の一場面にも見える。

以前より親交のある俳優の緒形拳

が、中川一政に自身が書いてきた書を見せた。そこで緒形拳は「大きな書を書くと墨がなくなってしまうから、磨って溜めておかなきゃならないですね」といった。そのことばに対して一政は「これだけの墨があればどれだけの字が書けるか心しておかなければならないよ」と、墨を大切にすることを諭したのだった。

　一政は明代の古墨として有名な程君房を惜しげもなく絵に使った。絵を描いたあと、残った墨を最後まで使い切るために書を書いた。「私は書にたよらないが尊敬している」という。それは「学問を尊敬して学問に頼らず、神仏を敬って神仏に恃まず」といった宮本武蔵のことばと同意だった。

　一政は『門前小僧』（求龍堂）という著書も出している。そのタイトルは「門前の小僧習わぬ経を読む」にちなんだ。専門家になったり崇拝しすぎることで逆に見えなくなってしまうことがある。門の外から覗いているくらいがちょうどいいのかもしれないという意味でつけられたこのことばは、一政の制作に対する姿勢をよく表したものだった。

　ところで古筆学者の小松茂美は、中川一政の揮毫する様子を実際に見ることがあった。一政の書は運筆の速度がゆるやかだという。「まるで鏨を打ち込むような周到な用意と気魄と、たくましさがある」と感じ、だからその書に狂いがないのだと確信した。そして一政の書には「選ばれた言葉に、精神性のひらめきとかがやきがある」のに対し、当時の書家たちには次のように苦言を呈した。

> ——書家が一枚の作品を仕上げるのに、五十枚、百枚と紙を費すと聞く。眼にも止まらぬ速い筆は、時として偶然の出色を生むかも知れない。が、それには心の計算も、もくろみもない。つまり、空虚なものでしかない。
>
> (『中川一政全文集・第八巻』中央公論社)

小松茂美に気魄を感じさせ、西川寧にして骨法がよく働いているといわしめた一政の書を、画家の書だからといって学ぶところがないということはできない。

では、その書が確立される過程において一政はどのようなものを取り入れたのか。次に追ってみたい。

一政と金冬心《きんとうしん》

永福町にある一政の日本画用の画室には、中国清時代の画家、金冬心の書が掛けてあった。一政が二十五、六歳のとき、西川寧に同じく清時代の書家、鄧完白の拓本を見せられて感心したというが、金冬心の書には親しみを感じたという。しかし、たとえそれらをもとにして書かれた碑学文字であっても外面から書いているような、心が充実していないものにはむしろ嫌悪感を覚えた。つまりフォルムを整えればいいという浅はかさはかえって逆効果であるとした。筆の動きも、紙面に対して左右上下だけでなく、三次元を意識して前後に打ち込むことが肝要だとわかった。しかし、一政は金冬心の字形を真似て満足することはなかった。「真似ということは先ず師に近づこうとして遠ざかっていく方法である」と自身を戒めた。

　晩年、フランス・パリで画家奥村土牛と二人展を催したが、現地の画家は一政の絵を見て「油絵でありながら書のような取り返しのつかない線を意識している点が、西洋画の影響を乗り越えた中川一政の画の真骨頂である」といった。はじめはゴッホやセザンヌの影響下にあるものと思われがちだが、しっかりと自分の技術を得た絵であり、評価すべきものだと付け加えた。

　一政は「格に入って格を出でよ」という言葉を心に留める。これは形式というものを大事にしてまずは形から入るべきだが、その後はその形を自分に合う新しいものに変えていく必要があるという意味だった。

「格に入ったらそれなりになって出口がわからなくなってしまう。蟹のような字をかく先生の弟子はみな蟹ような字をかき、柳のような字をかく先生の弟子は柳のような字をかく。技術は教えられるが藝術というものは教えられないものだ」と、自身の眼で見ることをけっして忘れてはならないことを彼は説いた。

つまりは今を見つめるということ。一政はあるとき、誘いを受けて利根川に舟を浮かべて月見をした。主催者は日本画家の小川芋銭で、他にも洋画家の森田恒友や小杉放庵など何人か臨席した。芋銭と恒友が対座し、傍に一政はいた。芋銭は赤壁というところはきっとこういう風ではないかと、利根川の景色と漢詩でうたわれた赤壁の情景を重ねていたという。

集まった人のなかで宮さんと呼ばれる人が船頭の元締のような役をしていた。この人は芋銭と同年でうまがあい、よく画帖や色紙を差し出しては絵を描かせていた。そのなかの一つを一政は譲り受けた。

それは朱衣の李白が描かれた扇子で「古人不見今日之月」と賛が書いてある。一政はこのことばを気に入った。「古人は見ず今日の月、今人は見ず古時の月」。今の人は今日の月をこそ大切に見るべきだという姿勢に、これこそが創作家の態度だと直感した。殊に藝術の世界では前人の後塵を拝していては創作にならないと、前人の仕事から一歩出ようと常に心がけていたからだった。とくに松尾芭蕉の努力は、李白や西行の後塵を拝していない点で大変尊敬していた。

　また、一政は以前、ＤＤＴという薬があることに感心したということをある医者に告げた。そうしたら「製法は簡単なものです」といわれ苛立った経験があった。「簡単なものと一口にいってはいけない。そんな簡単なものならずっと前から作ってくれたらよい」と。簡単になるまでには複雑なものがあったのだろうと前人未踏のことを成し遂げた姿勢を讃え、作家の創作活動と重ねた。だからこそ模倣と独創とでは二流と一流の差があると彼は思った。

　一政は墨跡を沢山見てきた。なかでも一休宗純には墨跡集を編むほど熱を入れた。一休は自身の落款に「虚堂七世」と書くほどに虚堂を尊敬していたのにもかかわらず、後世その虚堂が今来ても一銭にも値しないといい切った。その生き様に一政は深く感じ入った。彼もゴッホやセザンヌを尊敬し心酔してきたが、それがしまいにはふといらなくなったというから、一政も一休と同じ境地に至ったのだった。

　金冬心の絵に感心して字というものにも注意しだした一政。そして冬心の書を見て、その源流の金石文にまで及んで興味が出ていった。見ていくなかで金石文は鮮明で実用にかなっていると思った。さらには褚遂良や蘇東坡、顔真卿の書にも及んで書を見続けた。日本の書では秋萩帖が漢字が仮名になっていく経路が見えて面白かったという。しかし一政は、それらはあくまで心摹手追の心摹であって、手で追うことはなかった。ただ、新聞の挿画の依頼時、八百枚前後描いたそうだが、このとき毎日手習い机に向かってひたすら毛筆の懸腕、直筆のトレーニングをしたという。

　これは習字だったのかも知れないとのちに一政は振り返る。その経験によって、今の洋画家はなかなか毛筆を使いこなせていないのではないかと彼は思った。直筆ではなく、側筆になっていることが多いと。ときには側筆で書く場合もあるが、やはり筆は毛先の先端、つまり命毛が中心にくるように持つのが正しいと実感した。その結果、筆をしっかりと持ち、まるで碑に刻するかのようにゆっくりと文字を書くに至ったのだった。

――私の字を金冬心に似ていると云うが、

金冬心を知らぬ前からそうなのである。上手下手を念頭におかず、はっきりとそしてしっかりと書こうとすれば誰の字でも金冬心に似てくるものである。

（『我思古人』より）

自分のための技術

油絵の技術というものは印象派以後に壊されたと一政は考える。そしてゴッホもゴーギャンもセザンヌも技術という点でいえば素人の技術だと断言する。それでもそれらの絵はみな、自分の要求によって用いられた技術であり、自分には役に立つが他には役に立たない技術だという。

さらに中国でいえば、沈石田までは常の技術というものを持っていたとするが、石濤や八大山人、金冬心になると常の技術を持っておらず、自分自身の技術で仕事をしていると捉えている。技術というものが間接でなしに、直接に自分のいいたいこと、表したいことを表現するようになっているのが自分自身の技術であり、それこそが純粋美術だとした。何かの目的を持てば美術は純粋にならない。純粋美術というものは役に立たないものだとするのが一政の考えだった。

芥川龍之介がスランプに陥っていた

とき、芥川は志賀直哉に「小説が書けぬとき貴方はどうしていたか」ときいた。志賀は「何もしないでいた」と答えた。志賀はいう、芥川は学者や教授になろうと思えばなれる男だが、何もしないでいるということは自分よりも難しいことであったろうと。出来ないものはどうにも仕様がない。この話を知って、あれこれ工面しようと動くよりも、自分の信じた道を動ぜず進むだけだと一政は覚悟を決めた。

　そして「予が風雅は夏炉冬扇のごとし、衆にさかひて用る所なし」といった芭蕉の姿勢を手本とした。さらに日本の画家が役に立つことをすぐに考えるのは、自分に自信がなく弱腰の場合が多いからではないかと考えた。それはしまいには卑屈にさえなりうると危惧した。自分の無能をいって、ただこの一筋の道にすがって風雅の誠を失うなかれとの姿勢を貫いた芭蕉の生きざまに一政は胸をうたれたのだった。

　役に立たなくても不名誉とは思わない。画家がますます勉強したら、ますます役に立たなくなるだろうと彼はいう。自身の仕事が前人未踏であるならば、それは大衆からはなれてひとり孤独になっていくことだからだ。大衆がいくら聡明でも、勉強する画家には追いつけないことを歴史は物語る。それだから、池大雅は生涯まずしく、セザンヌは生涯孤独だったのだと一政は語る。

一政晩年の様子を知る佐々木さん曰く、一政は字のフォルム、造形の面白さも感じていたという。誰かの真似ではなく、この字の形は面白くできたなどと、よく話していたそうだ。自分だけが生み出せる字の形を日々楽しんでいた。

ムーヴマン

一政は、書家の字は心がひまだという。見た目だけで判断しがちだから一政の書と金冬心との形の類似性を指摘するだけで終わってしまう。

――心がひまなところにムーヴマンはない。やむにやまれぬ大和魂みたいなものがないかぎり、いくらかいても無駄だ。ムーヴマンとフォルム。書ほどこれが直接で端的なものはない。(『中川一政書蹟』中央公論美術出版より)

ここでいうムーヴマンとは具体的にどのようなことを指すのか。『我思古人』のなかに「ムーヴマンについて」という章が収められている。

以前から仲間内で集まって勉強会

を開いていた一政は、あるとき術語解説の機会をもうけた。術語というものは美術の世界だけでなく、医学や工業などの場でも使われ、一つの内容を表した符牒になるとして重視される。しかし一政は、この一見便利に思えることばは、わかった気になって充分擦り合わせをせず、内容を迂闊にしたまま使用している場合が随分あるのではないかと警鐘を鳴らす。そこで第一回を一政自身が担当し、ムーヴマンという術語について取り上げることにしたのだった。

　なぜムーヴマンを取り出したか、一番の動機は岡鹿之助が一政の絵をみて「デフォルマシオンをやっている、思い切ってやれるのが羨ましい」と漏らしたことに端を発する。ここでいうデフォルマシオンとは直訳すれば変形や歪曲。あえて見たままの再現描写を離れて描くことだろう。あまりにムーヴマンが強すぎるとフォルムを壊すことがあると一政はいう。これをデフォルマシオンといい、デフォルマシオンもまた一つのフォルムとして捉えた。ただし、フォルムとして成立しないデフォルマシオンでは、見るものにただうるさい印象を与えてしまうとして注意も促したのだった。

　『書経』に「詩は志也」とある。一政は、詩というものは志であるというこのことばに注目し「志」の字の由来を調べた。そして、志の古字は「士」の心ではなく、「之」の心であることを知った。心というものは元来、静かに湛えた水のようなものであって、それに風がきて波浪が生ずるように、心が動くのだと説明する。

つまり詩は心が方向を持ったもので、心が積極的になって動こうとすることこそが志だという。これは一政が純粋美術の説明として挙げたものだが、ひいてはムーヴマンの理解にもつながるものと思う。

いま拙宅にて『一政印譜』に収められた印の一つ「天下無敵」（図版）の印影を額にいれて眺めている。一政は篆刻ついては次のように語る。

「天下無敵」

――篆刻の技は、方寸の天地のうちの勝負である。ムーヴマンとフォルムの対決である。ムーヴマンというものは、際限なく伸びていこうという勢いであり、フォルムとは、それを如何に美しく制限しようかという働きである。篆刻は、一番純粋なその虚実の戦いである。

（『いのち弾ける』二玄社より）

けっして書画だけにムーヴマンがあるわけではない。一政は篆刻や陶藝もしたが、すべての制作において心の動きを重視した。

一政の眼

中川一政美術館へ行った際に掛かっていた書の一つ。大きな字で「見観」と書き、その下に次の言葉が添えてあった。

——目のおさめ様は常の目よりも細やうにしてうらやかに見る也　目の玉を動かさず敵合近くともいかやうに遠く見る目也　その目にて見れば敵の業は申すに及ばず　両脇までも見ゆる也　見観二つの見様 観の目強く見の目弱く見るべし

これは宮本武蔵の言葉を書いたものだった。一政は武蔵を剣術以外に美術家としても評価していた。

武蔵が『兵法三十五箇条』で書き残した「目付の事」は、絵を描く場合にも生かせるとして座右の銘とした。「目を付くると云所、昔は色々あることなれ共、今伝うる処の目付は大体顔に付くるなり」と、勝負になったときには相手のどこに目をつけたらいいか、それは各流派で色々あるけれども今伝えるところの目付は大体顔に付けるという。流派によっては太刀や向こうの刀、或いは足や手など、細かいところに目を付けろというが、武蔵は「大体顔」といった。一政はこの「大体」というところに注目することで、大きな意味を持つのだという。

　はっきり見張らないで、細ようにしてうらやかに見る。目の玉をぎょろぎょろと動かさず、敵との間隔、味方との間隔がどんなに近いときでも、それを遠く見ること。

　これは絵を描く場合もそうだと武蔵の言葉に感心した。画家は始終部分を一生懸命描くけれども、全体を見ていなければならないと一政は考えた。

　だから一政の絵は花瓶を描いても実物とはフォルムまで違っている。当然そこにいれられた花の造形も再現されてはいない。それでも生き生きとして見えるのが彼の絵であり、書の魅力もまた同様である。

おわりに

花をのみ まつらむ人に 山里の
雪間の草の 春を見せばや
（藤原家隆の和歌、一九八〇年一政書）

形ばかりでなく、奥底から湧き上がるエネルギーを一政は大切にした。彼の書をつぶさに見ていると一画のなかに無数の震えが生じているのがわかる。これは丁寧に書こうと意識した際に現れる一つの筆致だと私は考える。

「震えることを恥じてはいけない」。これは、懇意によって下座につかせていただいている漢詩の勉強会で、工藝家の先生から聞いた話での一節だった。あるとき、その方の生徒が、筆で文字を書く際に緊張で震えてしまうから上手に字が書けないと漏らしたそうだ。それに対し、震えは恥じることではないと諭した。

集中しているからこそ震えるわけで、それは気を入れようとしている証拠だと。私も人前で書いたとき、緊張による震えをごまかしたくて速く筆を動かしたことがあった。結果としてむしろ線に緩みが出て恥ずかしい書が出来上がってしまった。また、指導している教室や担当している授業等で手本書きをすることがあるが、数分で何枚も何枚も書き続けることで形をとる技術は上がれど線の重みが失われていることに自分自身で気づくことがある。

　誤解のないように付け加えるが、けっして震えるからいいというわけではない。震えないように人は努力し、技術を身につけようとする。しかし、その技術の上達はかえって丁寧さを欠く結果となる場合があることを知った。それを戒めるための一つの手段として遅い運筆があり、意図的に技術が出過ぎることを制するのだ。

　徒然草の二二九段にある「よき細工は少しにぶき刀を使ふ」というのはまさにこのことであり、中川一政もまた、「にぶき刀」を心がけた一人だった。

　一政の書に「上手は下手の手本なり、下手は上手の手本なり」（図版）がある。下手でもつつしんでおろそかにしないそのさまには、技術を得た人間も手本とするところがある。

　これは世阿弥のことばを書いたものだが、丁寧に筆を運ぶことの大切さを改めて気づかせてくれるとともに、一政の思想がよく表れた書だと私は思う。

「上手は下手の見本なり、下手は上手の手本なり」

高村光太郎

書と造型

昭和五年、高村光太郎四十八歳。いま、光太郎の影響下にいた詩人の真壁仁に宛てた葉書が残る。

——東京には一寸雨が降り、又晴れて真夏のやうな日が照つてゐます。今日高田さんが来ていろいろ話の中にあなたの話も出ました。あなたが真の生活をもとめて刻苦してゐられる事もききました。小生は現実生活をまともに生活し、正しく観察し、確かに記録する堅忍の努力がすべての基礎を成すものと思つてゐます。製作はまづドキュメントからはじまります。小生の仕事は一面正直な人間記録をつくるところにあります。時々おたよりを得たいと思ひます。おからだに注意してじりじり進まれるやうに。

製作はまず自身のドキュメントからはじまる。人間形成こそ根本だと、光太郎は真壁にそう促した。また、文中の「高田さん」とは彫刻家、高田博厚のこと。十七歳も年の離れた両者だったが、光太郎は高田に対等に接した。光太郎の駒込のアトリエを高田がはじめて訪ねたのが十八歳のとき、その後、光太郎のすすめで絵画から彫刻へ転向、二十七歳のときに武者小路実篤主催の大調和展へ初出品する。そして渡仏した。五十七歳で帰国するが、その間、光太郎から「君が去ってしまって、彫刻のことを語り合える者は誰もいない」と綴られた手紙が届くほどの、深い信頼関係がそこにはあった。

さて、東武東上線の高坂駅、西口から約一キロメートルにわたって高田博厚の彫刻たちが野外に飾られている。かつて埼玉県東松山市で彫刻展と講演を開催したことが縁となって、作者の短文とともに三十二体が設置された。そのなかに高村光太郎像もあり、添え文は次のようにあった。

――――日本の彫刻界で彼のように聡明確実な腕を持った者は一人もいなかった。その上彼の世間を相手にしない孤高な魂はそれに気品を与えた。彼は木盆にヴェルレーヌの詩、「われは選ばれたる者の怖れと喜びを持つ」を原語で自ら彫りつけていた。

高田博厚は、ひとり立つ強さを光太郎に感じていた。高田は常々創作行動とは孤独な行為で、ことに彫刻藝術にいたっては「心ある者」のみをその前に立ち止まらせ、そして無限に語りかけてくれるものだと考えていた。裏をかえせば「心なき者」では彫刻の前で立ち止まることはないということ。

実をいうと、私はこの高坂駅の彫刻群の存在を十八歳のころから知っていた。それは大学への通学路だったからであって、毎日のように彫刻を見ていた。しかしその間、恥ずかしながら一度も立ち止まったことはなかった。高田にいわせれば、当時の私は「心なき者」だったのである。この「心」とは何だろうか。理解したうえで、私もそれを持ち得たいと願っている。そのための一歩として、まずは高田博厚が慕った高村光太郎の人生を知り、その美学を整理したい。その後、光太郎が書にも向き合ったことに注目し、彼の美学がどのように書へ生かされたかにも及んで、考えてみたい。

光雲と智恵子

光太郎の父、高村光雲（一八五二〜一九三四）。時代の流れによる顧客層の没落から苦節を強いられながらも、わずかな外国人の需要で息をつなぎつつ、彫刻界の一線を生きた。幼少から少年時代にかけての光太郎は、父以上の人を考えられないほど尊敬していた。

——美術史上から見ると、明治初期の衰退期に彫刻の技術面に於ける本質を、父の職人気質が頑固に守り通して、どうやらその絶望を防いだことになる。彫刻の技術上の本質については無意識のうちに父は伝統の橋となった。たとえば彫刻のこなしとか、木取りとか、肉合いとか、つり合いとかいふものは作品の高下に拘らず彫刻に内在すべきもので、これを口やかましく父が伝へただけでも父の役目は果たされていると見るべきである。

（『高村光太郎選集　第六巻』春秋社より）

しかし、この親子関係は一筋縄ではいかなかった。光太郎は父のことを「結局父光雲は一個の、徳川末期明治期にかけての典型的な職人であった。いはゆる『木彫師』であった。もっと狭くいえば『仏師屋』であった」と述べている。光雲は美術史では明治大正期を代表する木彫家といわれている。また、明治二十三年からは東京美術学校彫刻科に三十五年も勤務し、その後叙位叙勲も受けている。廃仏毀釈の影響において、木彫りの再興を目指し、その技術を磨いた光雲。明治十九年には東京彫工会を組織して木彫部を代表した。

そんな父の背中を見て育った光太郎だったが、二十三歳のときにニューヨークへ、翌年ロンドン、ついでパリに渡り、藝術とは何かを学んでいく。そして藝術は「自由」でなければならないことを知る。帰国後は父の期待に背くように、ひとり藝術家を志した。

光太郎ときに二十九歳、ついに家の跡を継ぐことを拒否する。家も地所も、財産も何もかもいらない、そして親戚や父の弟子たちも含め、全てのことから解放されたいと告げ、家を出た。

とびたつとき　わがてをかきて
ゆきし蝉の　はねのちからの
わすられなくに

光太郎

手の内にある蝉が、強くもがいて逃れるように、光太郎もまたひとり飛び立った。そして、当時の日本においては新しかった藝術論を雑誌などに次々と発表していく。しかし、彫刻の注文はほとんどなく、収入は少なかった。日本では受け入れられないのかもしれないと、不安に苛まれていた時期に、アトリエに訪ねてきた女性がいた。それが長沼智恵子だった。画家を目指していた彼女は、エメラルドグリーンが好きだった。人物画においてもそれを使って描くこともしばしばだった。しかし、大学の先生に「人体を描くとき」に不健康な色は使わない方がいい」と注意を受けてしまう。そんなある日、ふと手にした雑誌で思いがけない言葉と出会う。

――人が「緑色の太陽」を画いても僕はこれを非なりと言わないつもりである。僕にもそう見える事があるかも知れないからである。

（『緑の太陽』岩波書店より）

感動を胸に秘め、友人のつてをた

どって光太郎を訪ねた。光太郎にとっても自身の考えに共感してくれる智恵子は貴重な存在だった。気持ちが通じ合い、ほどなくして結婚、けれども入籍はしなかった。お互いの仕事を尊重した生活は、部屋も別々、家事も分担、親戚付き合いなど嫁としてのしがらみもなくした。しかし、無情にも智恵子は肺病を患って療養を繰り返す生活となる。さらに追い討ちをかけるように実家が破産、一家離散となってしまった。大量の睡眠薬を飲んで自殺を図った智恵子は、一命は取り留めたものの、心を病んだ。光太郎が万が一のことがあったときに守れるようにと入籍するも、しだいに心は閉ざされ、ついには光太郎にすら反応を示さなくなってしまった。

そんなとき、光太郎は智恵子が好きだった千代紙を彼女に差し出してみた。すると智恵子はそれを受け取り、目を輝かせて一心に折ったという。これを期に精神も安定し、しだいに創作意欲も出始めて、切り絵をするほどに回復、数年のうちに千点以上の作品を生み出していく。そして光太郎はそれらに愛を込めて「紙絵」と名付ける。しかし病状は悪化し、昭和十三年に智恵子は亡くなってしまう。そして彼女の死から三年、光太郎は智恵子をうたった詩集『智恵子抄』をまとめるのだった。

　ところで智恵子の生家である造り酒屋「米屋」の建物は修復、再建され現在、福島県二本松市に残る。酒の銘柄「花霞」の看板が正面にかけられ、軒には新酒の醸成を伝える杉玉が下げられている。生家の裏には記念館が作られ、智恵子の紙絵や書簡などが展示されているが、そこを訪れたとき、私の目を引いたのは紙絵にいたる前に製作されたと思われる「智恵子自作の小物入れ」だった。月のモチーフに重なるように兎が配され、入れ物全体はハートのかたちをしている。

　月に兎といえば仏教説話にその原典がもとめられるが、日本では平安時代末期に成立したといわれる『今昔物語集』が有名だろう。猿、狐、兎の三びきが、山中で力尽き倒れている老人に出会うことで物語が始まる。三びきはその老人を助けようと考え、猿は木の実を集め、狐は川から魚を捕ってはそれらを差し出した。しかし、兎だけはどんなに苦労しても何も採ることができなかった。

　自分の非力さを嘆いた兎は、猿と狐に火を起こしてもらい、老人を助けたい一心でその火中に食料として自身を捧げる。その姿を見た老人は帝釈天としての正体を現し、兎の慈悲の行いを後世まで伝えるため兎の魂を月へと昇らせたのだった。

この何もできずに悩み、奉仕の心をもって火中に飛び込んだ兎に、智恵子も心を打たれ小物入れを製作したのだろう。病気を患い、思うように活動できぬ状況に心身ともに苦しめられた彼女だったが、その小物入れは愛を表すハートのかたちをしていて智恵子の純真さが感じられた。

さて、生家の裏道から菩提寺に至る山道、これを「愛の小径」と呼び、ふたりは道中で語らい愛を育んだ。小径を登りきると見晴らしの良い丘に出る。林の向こうに見えるのは安達太良山。『智恵子抄』所収「あどけない話」に「東京には空が無いといふ、ほんとの空が見たいといふ。私は驚いて空を見る。（中略）阿多多羅山の山の上に 毎日出てゐる青い空が智恵子のほんとの空だといふ」という文章があるが、彼女にとっては東京の空は空ではなく、幼少のころより見慣れた二本松の空こそ本当の空だった。

私もこの丘のうえから快晴の空を仰ぎ見た。気持ちは良かったが、埼玉育ちの私からすれば羨ましくも別世界の景色だった。どこまでいっても、育ってきた環境による親しみによって美は享受されるのだと、智恵子の「ほんとの空」を見て思ったのだった。

姿勢は河の如く、動勢は水の流の如く

私が岩手県花巻市にある高村光太郎記念館を訪れた際、『造型美論』（筑摩選書）の本が展示されていた。その見返しには光太郎直筆のサインとともにことばが添えられていた。私はそのことばに胸を打たれた。

――姿勢は河の如く、動勢は水の流の如く

それは書を書くときにも生かせるものだと直感したからだった。その場で書き留め、帰りにはそれを頭のなかで反復した。そしてそれはのちに、彫刻十個条の三つ目に掲げられたものだと知った。

彫刻の姿勢とは、水が谷間から出て自然と平地に河を成すかのような趣が理想で、その迂曲は天然の地勢に影響すると光太郎は説明する。それははじめ、作家の心のなかに起伏する一つの情勢にはまることで流れ始め、その流れの力によって姿勢は変化していく。つまり姿勢を定めるということは、自己の心の情勢と向き合うことだと彼はいう。その姿勢で彫刻家同士は対話するから、それ

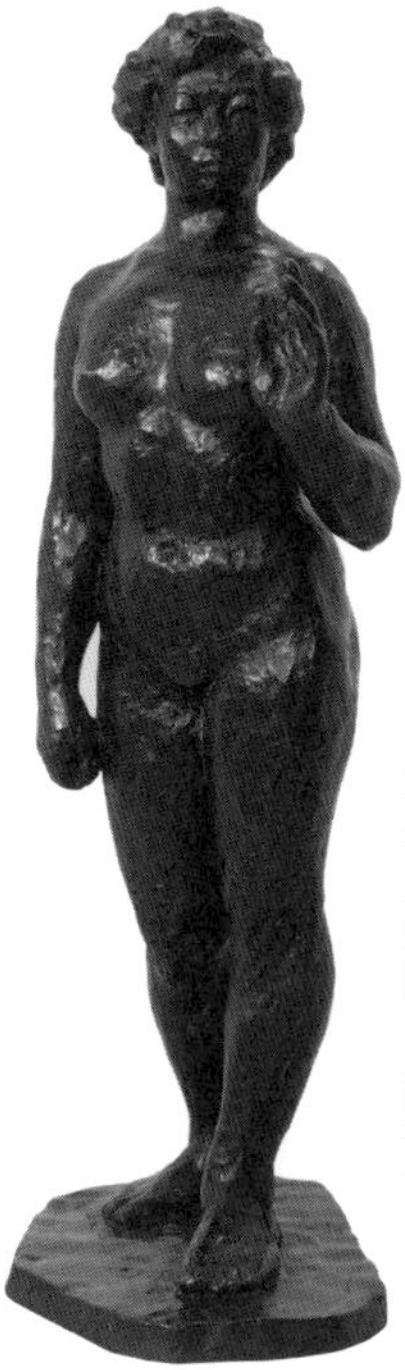

「十和田湖裸婦像中型試作」

ほどまでに作家の心が重要となる。そしてこれを書に置き換えたときには、字の造形が彫刻でいうところの姿勢を指す。

　一方、動勢とは大河を流れる水の勢いを表す。姿勢があって動勢が無い彫刻は水の流れぬ河に等しく、もしくは河の模型に過ぎない。形の寄せ集めになると光太郎は指摘するが、これもまた書にも通ずると思われる。

　光太郎がここで述べた重要な点は、姿勢の角角にぶつかる動勢はそのたびに変化を起こしていくこと、それはつまり、外に現れる形は内部に流れる動勢に起因し、それが作品に脈を持たせるということである。この力をよく感得しないものは、型にはまりすぎて立体感が感じられない作品になってしまうのだ。参考までに、このことばが含まれる「彫刻十個条」とは以下の通り。

一、彫刻の本性は立体感にあり。
　しかも彫刻のいのちは詩魂にあり。
二、構造を思へ、
　構造無きところに存在無し。
三、姿勢は河の如く、
　動勢は水の流れの如く。
四、肉合に潜む彫刻の深さ。
五、まるごとつかめ。
　或瞬間を捉へ、或表情を捉へ、
　或側面を捉ふるは彫刻の事にあらず。
六、一切の偶然の効果を棄てよ。
　タッチに惑はさるる勿れ。
七、効果を横に並ぶるは卑し。
　有れども無きが如くすべし。
八、似せしめんと思ふ勿れ。
　構造乃至肉合を得ば
　おのづから肖像は成る。
　通俗的肖似をむしろ恥ぢよ。
九、木を彫る秘密は
　絶えず小刀を研ぐにあり、
　切味を見せんが為にあらず、
　小刀を指の如く使はんが為なり。
十、如何なる時にも自然を観察せよ。
　自然に彫刻充満す。

その一つ目に「彫刻の本性は立体感にあり。しかも彫刻のいのちは詩魂にあり」を挙げる。光太郎曰く、立体感とは人間の造形本能の欲求を源として表れた本性を指す。そしてそこには喜びが伴わなくてはならないという。これを「立体感の喜」と彼は呼び、これを内に持たない彫刻はただの八方から描いた素描に止まり、また情念姿態を描写した人形に止まり、そして実物模擬の概念的記述に止まってしまうという。だから着色象牙彫の蜜柑や林檎はいかに巧妙に出来ていても彫刻ではないし、名人が作った人形も、たとえ真を写していたとしても彫刻ではないと断ずる。

――彫刻に独創はいらない、生命がいる。

(光太郎訳「ロダンの言葉」より)

光太郎はパリで大人になり、パリで彫刻を悟った。日露戦争の勝敗よりもロダンのことが知りたかったのが当時の高村光太郎だった。パリでは詩の真実にも目を開かされたとのちに語っている。そして彫刻にもっとも肝心な根本生命は「詩の魂」だとし、「彫刻」と「詩」の両者を結びつけた。

先に挙げた「立体感」というものばかりを重んじ過ぎると、いつのまにか生命が無機的なものとなってしまい、ひどい場合には藝術としての生命が押し潰されてしまうこともあると光太郎は感じていた。だから立体感を生かすために大切にしなければならないのは「詩の魂」だと思った。
　ただし「詩」とは通俗的な文学の詩ではないと彼はいう。「人間の内にある名状し難い無限への傾きのようなもの」と表現するが、詩はもとより高度の「感激」から生まれるものだと光太郎は考えた。「感激」の深さこそが詩の深さだとした。

――私はいわゆる「詩」を追わない。日本におけるいわゆる「詩的」という、あの一種の通念をふみにじる。そういうものを洗い去る。私は自己の必然にのみ頼る。私にとってこの世は造型である。私の詩もまた造型の対位として存する。私の詩の理法は造型理法にその根を持っている。

（『緑の太陽』岩波書店より）

　従来の日本における形式的な、いわゆる詩的な表現を光太郎は拒否する。高度な「感激」により、結果として「詩」はかたち作られるのだという。
　そして、ここで新たに出てくる「造型」という語は、高村光太郎の美学を知る上でもっとも重要なキーワードとなる。次に追ってみたい。

造型美論

「造型」と「造形」。私も含め多くの人は、両者の文字のちがいについて正しく理解し、使い分けてはいないだろう。果たしてこの二つのちがいとは何だろうか。高村光太郎は次のように考える。

「型」は「井（四角い枠）」と「刂（刀）」からできた「刑」に「土」を足した文字であり、「あるものを作り出すために土で作られた鋳型」を表す。

一方、「形」の部首は「彡」。これは刷毛でつけた模様を表すため、文字の意味としては「現れ出た姿」を指し、そこには自分が理想とするかたちを生み出そうとする作意がともなうという。

光太郎は「考へてみると藝術の究極が常に未知の美の原型を求めようとするところにある事を思ふと、造型といふ造語の方が面白いやうにも思はれる」と考えた。

そして彼が思い出したのが、西洋の画家セザンヌがいった「描かれたものが『個々の林檎』（形）であると同時に、『永遠の林檎』（型）である」ということばだった。ここから考え得ることは、光太郎の理想とする「形」の表出のためには、それを生み出す人間の「型」が重要だということ。どこまでいっても藝術には人間形成が切り離せないということだった。

> ――藝術の起原を発生学的に考へる学者の中に、原子期人類の手で物をつかみ取る動作と、手まねで物を指し示す動作とを藝術の胞芽する根本だとする者があるのは面白い。これらの動作がいづれも人間が物を見てそれを我が物とする意欲のあらはれであるところに意味がある。見たものを見たやうにもう一度再現することは、すなはち物を自分の側に完成することである。
>
> （『造型美論』筑摩選書より）

　しかしそれは写真的に、機械的に再現するということではないと注意を促す。たとえばマンモスの牙やトナカイの角が実物より大きく表現されることもあったり、女体の全体が乳房と腰とだけになったりすることが起こりうるという。

　人間が自然界の形象から得た印象を再現してみようと思うとき、どうしてもそのものと相似の形を取ることになる。すると造形藝術は自然をモデルとして作られた模写だと考えられがちだが、本物のように描けることが高尚であるとか、自然の絶景を見てはまるで絵のようだと表現したり、逆に絵を見ては真景のようだと評価することがいかに愚かなことかを光太郎は説く。

　すなわち造型とは、「自然現象をもう一度自己の感覚を通して見た表象形式を創造することであり、従って、造形藝術の本質は、われわれの内部に起る価値観の表現に由来して」いると、光太郎は自身の著書『造型美論』で述べている。

書について

　一九四五年十月から七年間、岩手県大田村（現在の花巻市）の山口地区で自耕自炊の独居生活を送った光太郎。戦後の彼は自らの詩における戦争協

木を彫ると心があたたかくなる
自分が何かの形になるのを
実は喜んでゐるやうだ　（光太郎　短唄）

　生命感をさまざまな技術によって得ようとする営み、「物理と心理との一致」を成就させることが肝要だと、人生を通して光太郎は力説するのだった。

力について悔いた。のちに綴った「わが詩をよみて人死に就きにけり」はそのときの光太郎の素直な心境を表している。

――爆弾は私の内の前後左右に落ちた。電線に女の大腿がぶらさがった。死はいつでもそこにあった。死の恐怖から私自身を救ふために「必死の時」を必死になって私は書いた。その詩を戦地の同胞がよんだ。人はそれをよんで死に立ち向かった。その詩を毎日よみかえすと家郷へ書き送った。潜航艇の艇長はやがて艇と共に死んだ。

詩中に出てくる光太郎の「必死の時」という詩は、「必死にあり。その時人きよくしてつよく、その時こころ洋洋としてゆたかなのはわれら民族のならひである」から始まり、同じ文句で結ぶもの。その内容は、未練などは捨てて思惑するのを恥じよという、戦争に対し命を差し出すことへの賛美だった。しかし、戦後はそれを深く反省した。

山居七年、冬の寝具には霜が降り、夏の刃物はたちまち錆びるという多湿の風土だった。村人をはじめ遠近の助力によって食料などが時おり小屋に届くが、応え得るものは身辺になく、揮毫した書を御礼とした。過酷な環境は彫刻制作の場を欠いてしまったが、その造型意欲を満たしたものが書だった。

かつて書を始めたころには、王羲之の書などには到底歯が立たないと思っていたようだが、のちに黄山谷の書を見たとき、こういう表現もあるのかと背中を押されたという。中国北宋時代に生きた黄庭堅、号を山谷。光太郎はその変化に富む筆法と、大小や方向も気に留めない一見不器用に見えたその書に、内にこもった気魄を感じ、立派だと思いのかぎりの讃歌を捧げた。しかしそれを真似することなく、「これからはどんどんかいて自分の書というものを遺そうと思う。書はやっぱり最後の藝術だな」(『高村光太郎　書の深淵』二玄社、北川太一著より)と、書というものを自分のものにしようと決意したのだった。

――書はもとより造型的のものであるから、其の根本原理として造型藝術共通の公理を持つ。比例均衡の制約。筆触の生理的心理的統整。布置構造のメカニズム。感覚的意識的伝達としての知性的デフォルマション。すべてそういうものが基礎となってその上に美が成り立つ。そういうものを無視しては書が存在し得ない。書を極めるという事は造型意識を養うことであり、この世の造型美に眼を開くことである。書が真に分かれば、絵画も彫刻も建築も分かる筈であり、文章の構成、生活の機構におのずから通じて来ねばならない。書だけ分かって他のものは分からないというのは分かりかたが浅いに外なるまい。書がその人の人となりを語るということも、その人の人としての分かりかたが書に反映するからであろう。

(『高村光太郎選集　第五巻』春秋社より)

　高村光太郎にそこまでいわしめた書というもの。そこには彼の説く造型美論が書にも適うものだということを証明している。しかし、光太郎は仮に書を一つの抽象的造型藝術と考えた場合、そこにはどうしても意味を表す「文字」を素材にしなければならぬ葛藤がつきまとうという。純粋な造型的諸要素のみでは律せられない複雑さがそこにはある。

　たとえば光太郎は、良寛の書のように、一読ではとても解読し得ないものでありながら読めないままに十分書の美がわかる例をまず取り上げる。だが、それでも良寛の書を純粋な模様として見るのではなく、その意味を知ろうという努力が鑑賞者の側に最後まで残ってしまうのではないかと考えた。

　またたとえば非常に下劣な文句を巧妙な書風で書いたものや、尊敬すべき人物が拙劣な書風で書いた書などに遭遇すると、その造型的標準以外の標準が必要になってくるのではないかと彼は悩んだ。その結果、「結局書は造型的自律の小宇宙とはなり難いとせねばならぬ」（『高村光太郎選集　第五巻』春秋社より）と結論づけた。

　つまり、そこには何が書かれるかという「ことばの選定」と、その背後に存在する「人間性」がおのずと浮かび上がってくるのだ。したがって、文章のはじめに戻って真壁宛の手紙の文面「製作はまづドキュメントからはじまります」こそが、書においても、己を知り何を書くかを決定づける第一歩でもあり、またその書の基盤を成すものだと私は考える。

　光太郎は書についての私見のなか（『高村光太郎　書』二玄社）で、書はそれを書いた人間の肉体、ひいてはその精神の力なり性質なり高さ低さ清さ卑しさまでが明らかにこちらに伝播してくると述べている。そして、書の魅力は実は意味と造型とのこんがらがりにあって、書の東洋的深淵という秘境の醍醐味は、西洋的抽象美には求められないと直言した。

——書などといふものは、実に真実の人間そのもののあらはれなのだから、ことさら妍を競ふべきものでもなく、目立つたお化粧をすべきものでもない。その時のありのままでいいのである。その時の当人の器量だけの書は巧拙にかかはらず必ず書ける。その代り、いくら骨折つても自分以上の書はかけない。カナクギ流でも立派な書があるし、達筆でも卑しい書がある。卑しい根性の出てゐる書がいちばんいやだ。

（『高村光太郎　書』二玄社）

　このように語る光太郎自身の書には、はたしてどのような真実の人間像が表れているのだろうか。

　当然そこには彫刻家としての顔が

まずあると思われる。彼の筆法と結びつく手がかりとして、以下のような視点がある。

――絵画は人間の網膜へうつる現象をもととして発達してきた。ところが人間には眼の網膜の外に皮膚の触覚というものがあって、これが自然の物に触れて、自然界を平面の景観としてでなく、確かに掴めば掴める、抱えれば抱えられる立方体である事を認識す

「うつくしきもの満つ」

るようになり、その感覚が特に発達すると眼でさえ触覚するにいたり、この世をすべて触覚的存在として受けとる者が出て来る。

（『造型美論』より）

「眼でさえ触覚する」という感覚は、彫刻に勤しんできた高村光太郎ならではのものである。この意見をもって光太郎の書をながめれば、なるほど彼の彫ったような立体感ある書の線質は、この視点に由来するものだということが納得される。

黄山谷に感化されて書の道を進んだ光太郎であったが、彼もまた最後は「自分の書」というものを残すにいたった。

おわりに

昭和十年十一月、叢文閣から刊行された文芸誌『コスモス』の口絵には「本然」と書かれた書が載った。これは光太郎も愛した『中庸』に由来するもので、「外誘を去って、その本然の善に充てんことを欲す」として使われる。

つまりは、本来持っている「自己の天性」を意味する。それが自然の景物であれ、他者が生み出した作品であれ、そこに「本然」というものが表出されている場合に人はそれに「美」を感じる。しかし、それを享受するためには「美を認める力」が必要であり、おのずとそれは自身の表現における「本然」にもつながる。

さらに光太郎は次のようにいう。

——美はこちら次第で在る時も無いときもある。今まで美と感じられなかったものを或る一人の人が美と感じたために、この世に美が一つ加えられるということはしばしばある。芸術の仕事は伝統的に美とせられているものを美と認めるばかりでなく、今まで美であるとは世人に気づかれていなかったものに美を新発見するところにある。この世に美を加えるところにある。

昭和二十四年、太田中学校に通う学生のために光太郎が揮毫した書が残る。

——心はいつでもあたらしく毎日何かしらを発見する

このことばは「美を認める力」を得るために不可欠な心持ちを平易にいい表したものだった。いつでもあたらしい心で日々暮らした光太郎。彼が見る世界は常に「うつくしきもの満つ」（図版）、そして「美ならざるなし」（図版）だった。

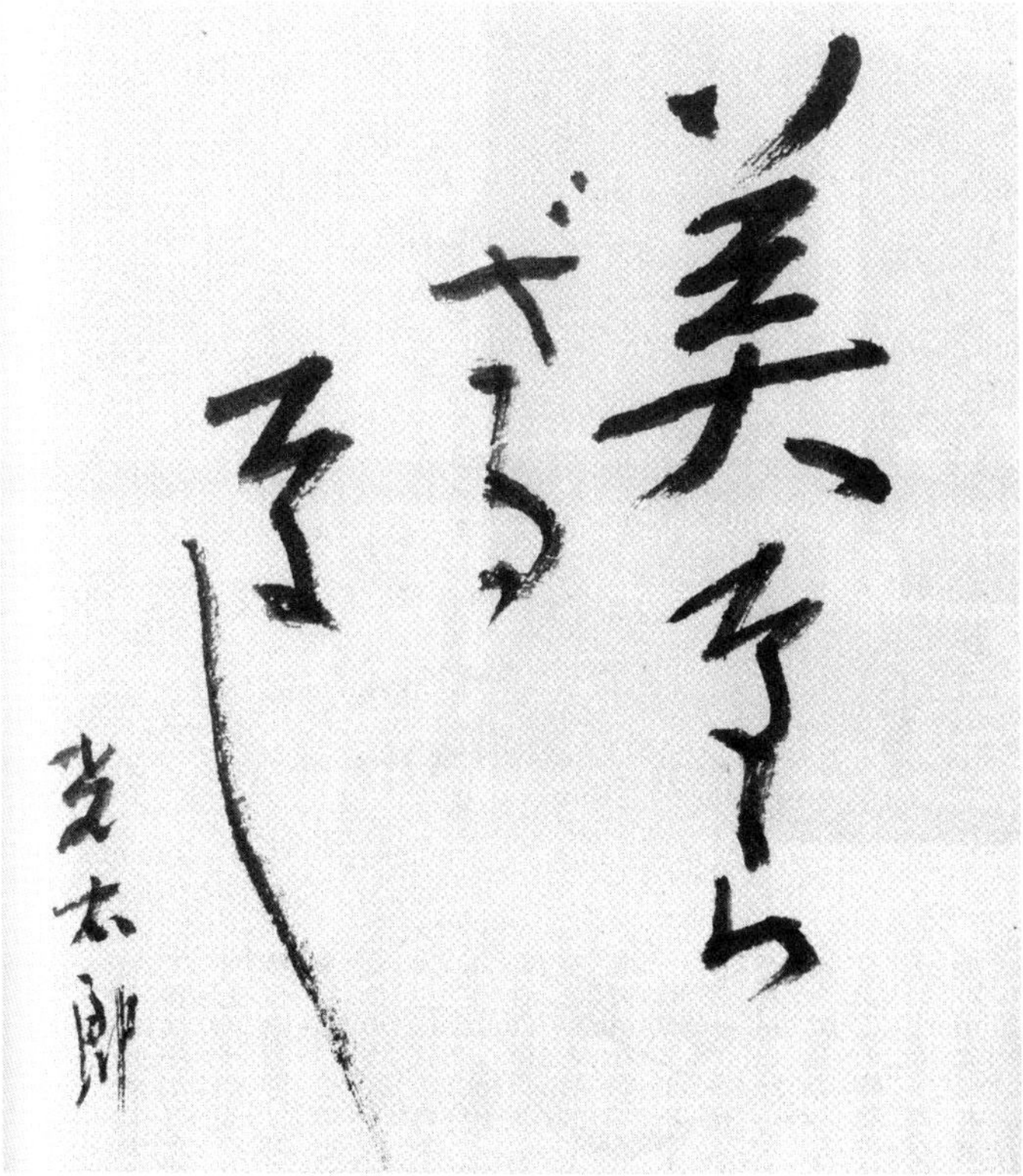

「美ならざるなし」

武者小路実篤

書とことば

数年前、一休の軸が出ているからと誘われ、はじめて調布の武者小路実篤記念館に行った。その軸の真贋を、実篤存命中から問う人もいたらしいが、当の本人はまったく疑うそぶりもなく、それを心から愛でていた。自らを成長させてくれるものはそれでよい、という。

なぜそこまでいい切れるのか、はじめは甚だ疑問だった。私はそれまで真筆としての根拠はどこにあるか、多くは付属の折紙や極札をもって判断していた。もしかしたら、私はこれまで書そのものを見ていなかったのではないか。そう猛烈に反省したのを覚えている。

当初は実篤の所蔵品が目的だったはずが、いつのまにか実篤の書自体に惹かれて記念館を訪れるようになっていた。そしてそれまで稚拙だとしか思っていなかった実篤の作品に心を奪われている自分に気がついた。

一見すると「下手」あるいは「下手ウマ」で片づけられてしまわれそうな書画。今思いかえしてみると、目の前の作品に実篤本人を重ね、その書画にむかって「これでなぜ堂々としていられるのですか」と質問していたような気がする。

その後は、彼の人生を片っ端から調べノートにまとめた。そこから見えてきたものは、実篤にとって書とことばはけっして切り離すことができない相即不離な関係だということだった。

　そこでこれから実篤の書の中でもとくに私が心動かされた作品五点を取り上げ、武者小路実篤の人生と、その書のもつ意味について考えてみたい。

「新しき村の精神」

　明治十八年、東京麹町区で生まれた実篤。いうまでもなく武者小路家は京の公家の家系で、明治維新のときに東京に移ってきた華族階級だった。ただ実篤が二歳のとき父が肺結核で死去し、その後は母の手で育てられた。

　父、武者小路実世は維新の直後、岩倉使節団の一員として洋行した人物だった。自伝小説といわれる『或る男』（新潮文庫）には、死の床にあった父が、「この子をよく育ててくれる人があったらな、さうしたら、この子は世界に一人という人間になるのだが」といったという話を取り上げて、このことばが実篤の一生の支えとなったことが描かれている。

　実篤は学習院中等科六年、十七歳

のときに志賀直哉に出会った。この出会いは周囲を巻き込む原動力となり、回覧誌を作成、そして雑誌『白樺』へと成長していく。この雑誌の特徴は、文芸誌というジャンルにとどまらず、西洋美術の紹介にも力を入れたことだった。したがって小説家のみならず、画家たちも多く関わりをもった。

　大正時代に入ったころの実篤は、すでに小説『お目出たき人』や『友情』戯曲『その妹』など、作品を数々発表して世評を得ていたが、あるとき「大阪毎日」からの原稿依頼に、それまで考え続けていたある社会のことを書いた。そして、それによって熱を帯びた彼は、『白樺』にもその続きを書くことになる。それは二十代から憧れていた世界のことで、書くことを契機に思想がまとまり、ついには同志を募るまでに至った。

　それが「新しき村」だった。自分の理想とする社会の建設として世に示したこの計画には、四ヶ月ほどのうちに、三百人以上が集まっていた。会員には二つのかたちがあり、第一種会員は自ら村に住み働くもの、第二種会員は村で働くことはかなわないが、援助というかたちで携わるものだった。

　その新しき村の精神を六つの項目に分けて示し、書にしたためたもの

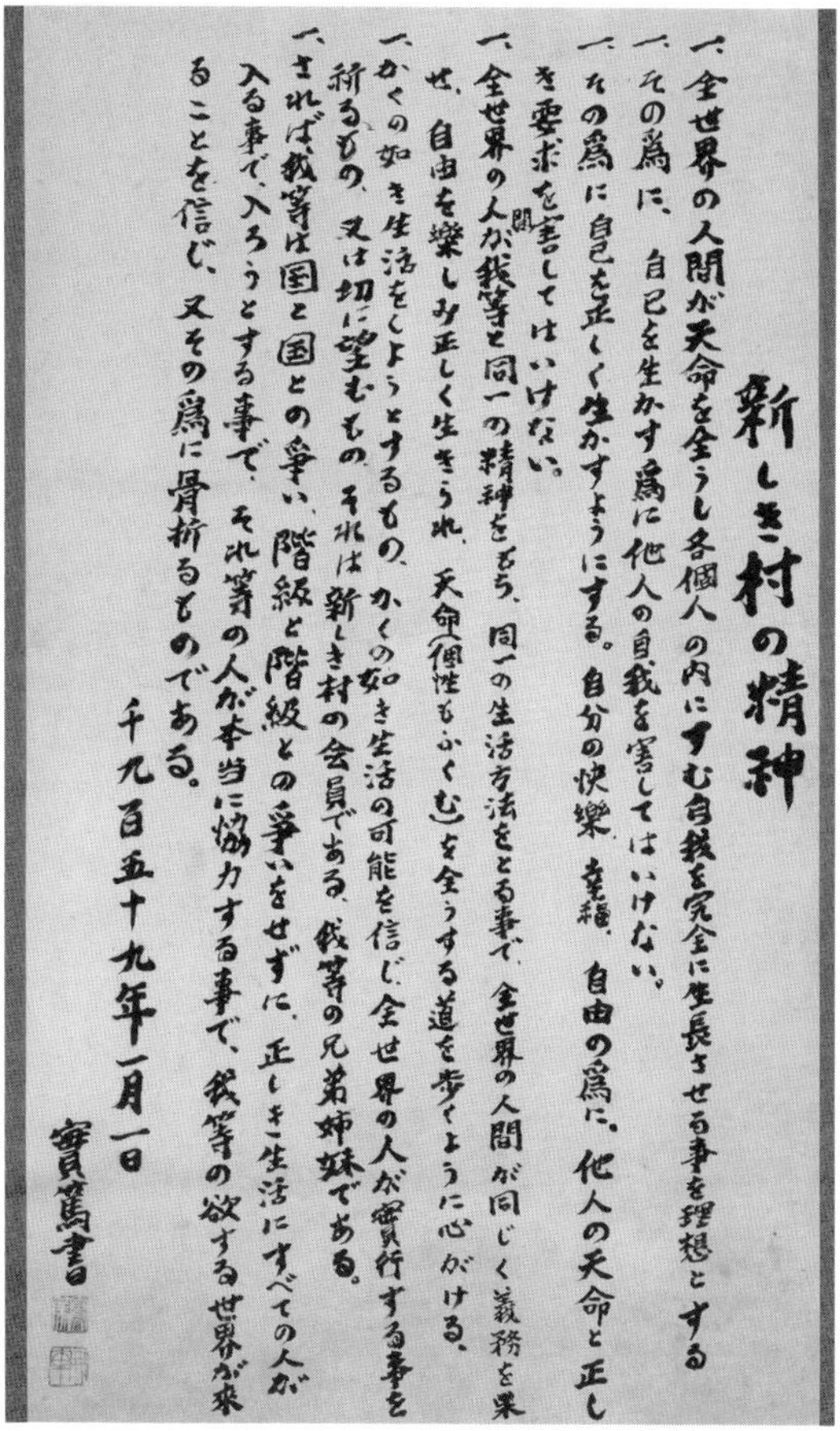

新しき村の精神

一、全世界の人間が天命を全うし各個人の内にすむ自我を完全に生長させる事を理想とする

一、その爲に、自己を生かす爲に他人の自我を害してはいけない。

一、その爲に自己を正しく生かすようにする。自分の快樂、幸福、自由の爲に、他人の天命と正しき要求を害してはいけない。

一、全世界の人間が我等と同一の精神をもち、同一の生活方法をとる事で、全世界の人間が同じく義務を果せ、自由を樂しみ正しく生きられ、天命(個性もふくむ)を全うする道を歩くように心がける、

一、かくの如き生活をしようとするもの、かくの如き生活の可能を信じ、全世界の人が實行する事を祈るもの、又は切に望むもの、それは新しき村の会員である、我等の兄弟姉妹である。

一、されば我等は国と国との争い、階級と階級との争いをせずに、正しき生活にすべての人が入る事で、入ろうとする事で、それ等の人が本当に協力する事で、我等の欲する世界が來ることを信じ、又その爲に骨折るものである。

千九百五十九年一月一日

實篤書

「新しき村の精神」

（新しき村美術館蔵）が、一つ目として取り上げたいものである（図版）。

一、全世界の人間が天命を全うし各個人の内にすむ自我を　完全に生長させることを理想とする。

一、その為に、自己を生かす為に他人の自我を害してはいけない。

一、その為に自己を正しく生かすようにする。自分の快楽、幸福、自由の為に、他人の天命と正しき要求を害してはいけない。

一、全世界の人間が我等と同一の精神をもち、同一の生活方法をとる事で全世界の人間が同じく義務を果たせ、自由を楽しみ正しく生きられ、天命（個性もふくむ）を全うする道を歩くように心がける。

一、かくの如き生活をしようとするもの、かくの如き生活の可能を信じ全世界の人が実行する事を祈るもの、又は切に望むもの、それは新しき村の会員である、我等の兄弟姉妹である。

一、されば我等は国と国との争い、階級と階級との争いをせずに、正しき生活にすべての人が入る事で、入ろうとする事で、それ等の人が本当に協力する事で、我等の欲する世界が来ることを信じ、又その為に骨折るものである。

驚くことに実篤はこれだけの文字数を一枚の書にしたためた。写真や映像を見るかぎり、筆の上の方を持ち、直筆でゆっくりとそして一点一画を丁寧に書いている。文字は小さくとも、その一文字一文字に心を込めてしたためたその書は、新しき村の住人一人ひとりに目を向ける実篤の心を想像させる。

実篤は、人間はくだらないものだといってそれで済ますことなく、国や階級による争いがなくなることを信じた。そしてそれを自分の一生で示す覚悟で新しき村を創建した。村の経済を支えるために執筆で得た収入はここにつぎ込んだ。

けれども発表の場は少なかった。だからこの時期を自ら「失業時代」といっている。そこでこの間、偉人たちの伝記小説を多く執筆した。

『二宮尊徳』もその一つだった。「小を積んで大となす」という精神をもって家の再興に成功し、村おこしや国づくりへと活躍の場が広がっていった二宮尊徳は、ただ救世のことのみを考え、七十歳で生涯を終えるまでに六百もの村を指導した。

二宮は、一時の利益でその場が潤うことよりも、自立できるよう指導することに力を入れた。実篤は二宮尊徳を「人間の誠意を信じ、至誠の力を知ってゐた。しかし同時に人間の弱点も知り、それをどう導かねばならぬかをしってゐた」と評価する。二宮は利己心では少しも動かなかったが、実篤もまた新しき村には無私で取り組んでいった。

そんな実篤の、性格が伝わってく

るエピソードがある。第二次大戦時、実篤は新潟の三条へ疎開し、一時、筆屋に身を寄せていた。しかし、そこは子だくさんでうるさく、勉強や書きものには向かなかった。そこで、三条中学校（旧制）へ相談したところ、教員のひとりが自宅を開放し、書斎を作ってくれたそうだ。

じつは、その教員が私の知人のお祖父様で、数ヶ月ではあったが、お茶汲みなど身の回りの世話をしたのはお祖母様だった。その知人の話によると、実篤が三条を去るとき、書斎で何枚も何枚も描いていたチューリップの絵を、お礼として好きなだけ差し上げるといったそうだが、お祖母様は一枚だけもらったという。

おしげもなく人に作品をあげた実篤。たまたま目にした『文藝春秋』（二〇一七年四月号）に、孫である武者小路知行氏が「お金に頓着しない自由人」と題して実篤を語っていた。

「お金は必要な時に必要なだけあればいい」という考えで、当時はそれに頼って借りにばかりくる人がいたそうだ。「祖父は、いいと思ったことはとことんやる。でも嫌いなことはやろうとしないし人にも強要しない。不思議な人と言えば不思議な人ですが、大事に思うこと以外は頓着しない、ああいう人を自由人と言うのだと思います」と語る。「新しき村の精神」の書にあるのはまず「自由」。書の典型を意識せずにいられる自由とそれを支える自信。もちろん彼は貨幣価値からも自由だった。

「天に星　地に花　人に愛」

　これははじめ画賛として多く書かれたが、後には一行書としてもしたためられた（調布市武者小路実篤記念館蔵）（図版）。私は、実篤が書いた「天に星地に花」の字を見たとき、たしかにその通りだと思った。しかし「人に愛」と純粋にいえるところにやや面映ゆさを覚えた。そして、実篤のことばは自身の人生を振り返らせるのだなと思った。

　私の育った埼玉県越谷市は、電車に乗り十数分で東京都足立区に入る場所にある。埼玉県には自然溢れるところがまだ多くあるが、越谷駅周辺には今や、高層マンションまで建つようになった。森や林はなく、自然のなかを駆け回るという経験は地元ではできない。それでも、幼いころには田んぼがまだ多くあった。塾から自宅への帰り道は、蛙の声がかしがましく、他の音がいっさい聞こえないほどであった。駅前からしだいに街灯が少なくなり、田んぼが広がる場所になってやっと、夜空に輝く星たちがはっきりと見える。そこが気に入っていた。星に見とれながら自転車を漕いでいたら田んぼに落ちてしまったこともあった。

星空はあったが、色とりどりの花はなかった。唯一道に咲いていたのはたんぽぽの花くらいだった。十代では花などには目もくれず、流行のものを求めて遊んでいたが、大人になるにつれて徐々に花の良さがわかってくる。はじめは花屋で買ってきたものを花瓶に入れて楽しみ、その後はベランダで育て始めたりもした。しまいには土のあるところで植物を育てたいと思い、猫のひたいほどではあったが庭のある部屋へ引っ越した。蕾が色づき始め、徐々に花開く様子は毎日見ても飽きないものだった。そして一生懸命花びらを開かせ、次に命をつなごうとするさまには魅力を感じた。

実篤は星や花を「美」と捉え、そして人にある「美」とは何かと考えたときにそれを「愛」と定めた。私はこの作品によって、美しいものとは何かと考えさせられた。はたして「美しい景色」や「美しい花」とは、具体的にどのようなものを指すのだろうか。

実篤は、植物には「目」が付いてい

「天に星」

ないということをしきりにいう。それでも美しいものを咲かせている花を神秘的に思っている。動物には目があるが、花や景色に見とれている鳥やけものを見たことがないと、彼はいう。いわれてみればその通りで、動物自体、自然というものを一体として感じているかもしれないが、それを美しいと思ってはいないだろう。

景色や花を見て美しいと思うのは人間の特性といえる。当たり前な話だが、旅行者といわれる人たちはその土地の人間ではない。自分の住む土地にはない景色を求めて旅をするのだ。とくに、私も含めて都会に住むものは、自然の景色にあこがれを持ち、それを見たり感じたりすることで癒されている。ないものをねだる気持ちがそうさせるのかもしれない。

実篤は二歳のときに父を亡くした。そして、母が苦労して育ててくれた有り難さを自身の著書で語っている。昭和十七年に発刊された『美術論集』所収「美に就いての断片」のなかでは、実篤は「母の愛」を例にとって、「美」とは何かについて自らの考えを示している。母の愛というものは「善」というよりは「美」であって、自然に情というものが発露した場合において、他者はそれを美しいと感じるのだと、実篤はいう。

実は私も、一歳と三ヶ月のときに

父がこの世を去った。親とは母のことだと久しく思っていた。十四歳のとき、今「父」とよぶ人が現れ、育ててもらった。女手一つで子を育てることの大変さはもとより、実の子ではないのに限りない愛情を注いでくれた父には心から感謝している。だから親子とは何か、愛というものは何かについて考えた。血のつながりがないからこそ父とはよく語らった。その考えに尊敬の念も生まれた。そしていつしか思想のつながりも一つの愛、親子の形だと確信するようになっていた。

「人に愛」といった実篤の真意は、他者に愛情を注げといっているのではなく、それが自然に発露された場合において「美」になるということ。善には少なからず努力がいるが、美というものはそれを超越したものでなければならず、そこには利害というものと断絶した心が必要となる。

だからこそ「天に星　地に花　人に愛」という書と対峙したとき、その考えに至った実篤の純粋な眼差しに共感し得たのだった。

「自然は不思議」

一九七三年、八十八歳の実篤は、たて四十四センチ、よこ六十八センチという実篤作品にしては比較的大きめの紙に、絵を添えることなく「自然は不思議」と書いた（調布市武者小路実篤記念館蔵）（図版）。三つ目として取り上げたいのはこの書である。

　実篤が生涯にわたって求めたのは、さまざまな命が調和し、共に成長していくことだった。あらゆる命が自己の存在を主張することで、ますます全部が生きてくる世界。それこそが人類の面白さではないかと調和する世界を夢見た。

　その理想が形となって表れているのが「自然」だといい、彼は花や野菜をひたすら描き、書を添えた。ただ、本人は絵がけっして上手くないことを認めていた。それでも自然の作ったものの美しさを讃美して、下手でも絵を描いていこうと決めた。できないことを無理にするのではなく、できることは誠実にしたいと思った。だからこそ、自分にはまったくできないことでも誰かができた場合、それを素直に喜んだ。

　人には得意不得意がある。努力によってそれが克服される場合は、それは大いにしたほうがよいが、他者より優位に立つことが目的ならば、それは立ち止まって考えねばなるまい。私も自らの書道の経験において、技術を得ることそのものが勉強だと思っていた時期が長らくあった。そ

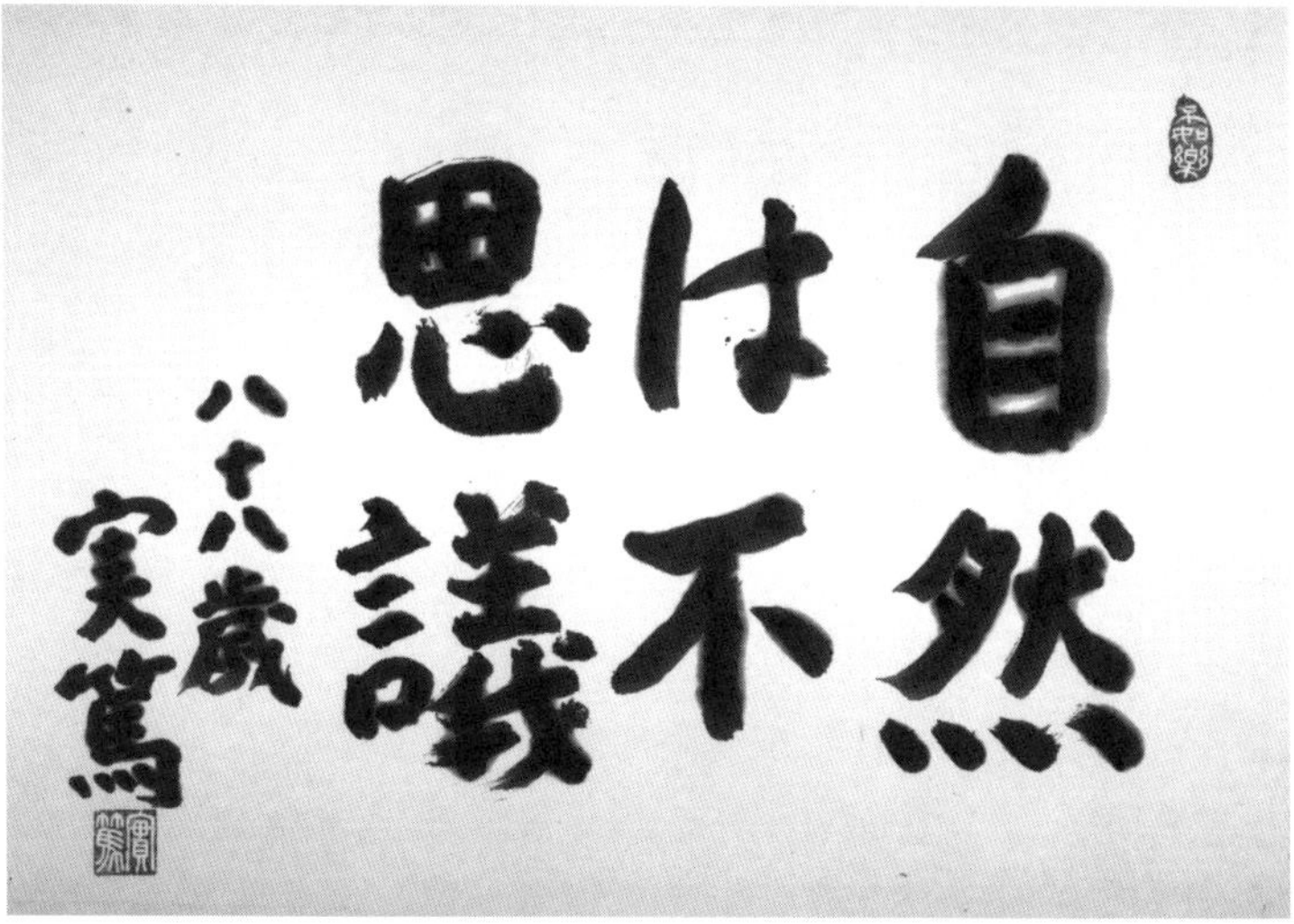

「自然は不思議」

していつしか何のために技術を身につけたのか、それ自体がわからなくなっていった。

　技術の競い合いがけっして藝術家を育てないことを実篤は知っていた。文藝の人が最もつとめるべきは個性の発揮だとし、次のように語った。

――自己の個性に愛想をつかした時人は創作国を去って賞玩国へ落ちのびなければならぬ。こゝに注意すべきは個性を発揮すれば発揮する程作品の範囲の狭くなることである。富士山の麓は広い、しかし頂は狭い。広く深くはゆけない。又一個人の人に広く深くゆかれては他の個性が立つ瀬がない。個性を発揮する事によって作品の範囲が狭くなることはお互の個性にとって仕（原文）幸（ママ）なことである。かくて分業が行はれ進歩してゆくのである。（『新編生長』「賞玩者と批評家と創作家に」全集所収　小学館より）

　個性の伸長が皆になされたとき、実篤が理想とする世界は出来上がる。彼は、自然のなかでもとくに野菜を好んで描いた。かぼちゃの絵などは、自ら執筆した本の表紙にするほどだった。各々に特色があっていいと、自然が作りしものの造形に実篤は見入った。

　当初私は玉ねぎやじゃがいもを題材としているのを見たとき、あまり見栄えのするものではないのになぜこれを描くのだろうと思った。しかし、形や色合いがいいという理由などで描いていないことを知ったときには反省をした。野菜の美しいかたちというのは消費者それぞれの好みや用途によるものだろう。

以前、中国の杭州を訪れたときにみた唐時代の美人像には驚いた。ゆったりとした丈の長い上衣をまとい、頬はふくよかで、肉付きは良すぎるほどだった。かの楊貴妃であれ、現代において美しいとされる体型とはかけ離れたものであったというし、美の尺度というのは大変不安定なものだ。

ところで、実篤がよく見た自然は野菜や果物だけではなかった。あるとき、実篤は窓の外に見える柿の枝ぶりを今更ながらによく観察した。その感動を著書『人生の特急車の上で一人の老人』（皆美社）にまとめている。彼はその枝ぶりにあらためて感心させられた。そして、調子のある跳ね返り、内から力がこもっているそのさまは、まるで一筆一筆に調子がとれている筆線そのものだとその様子をたとえた。枝葉をめいっぱい伸ばすのは、陽射しを浴びて成長するためであり、動けぬ植物にとっては精一杯の努力だろう。そして、その枝は太くても細くてもどちらでもよく、自然の線というものはさまざま存在する。

つまり実篤が感じた自然の不思議さとは、それぞれの個性が純粋に発露された場合には、各々みな違った造形で世に表れるという不思議さを指したものだと思われる。そして実篤がゆっくりと筆を進めるのは、柿の枝ぶりのように一筆一筆に内から力がこもっているように書こうとしているからに他ならない。

「自然は不思議」と書いた書作品もまた、わずかな震えをもって内に力がこもっている。ハネや払いに鋭さは見られず、遅筆で丁寧な書きぶりである。この書はぐっと近づいて見たいと思わせるものだった。

「君は君　我は我なり　されど仲よき」

このことばは画賛としてだけでなく、短冊などにもよく書いている。君と我、それぞれが違う。その自覚の上で互いを認めなくてはならない。きっとこのことばは、実篤自らの体験によって発せられたものだろう。

このことばの意味合いをそのままに、やや加筆したものを「直哉兄」と題して志賀直哉へ送っている。

実篤と志賀の交友が、学習院の学生時代から志賀の死まで、六十年以上にも及んだことはよく知られている。実篤から志賀に宛てた手紙は、現在確認できるものだけで四九三通にものぼる。手紙の上でも活発に議論し、批評が交わされた様子がうかがえ、作品や活動には明らかな思想の違いが表れつつも、互いを最も評価したのも事実だった。

「君は君　我は我なり　されど仲よき」

過去にはぶつかったこともあった。明治四十四年十二月十三日の日付のある、志賀から実篤に宛てられた手紙を読むと、志賀は雑誌の仕事も、白樺派の者たちとの縁さえも切ろうと考えていたことがわかる。しかし、手紙のなかで、「僕は君から不快を与へられた事は今でも不快である。然し不安を与へられた事は僕の為めにはありがたい」と綴る。絶交の危機が訪れても、一時の感情では決断しなかった志賀の冷静な思考の様子がここではうかがえる。

一方の実篤の返信では、悪い言い方をしたと後悔しつつも、未だ小説においては、現状の志賀のものでは満足できないと書いた。それでも日本の小説家のなかで最も有望な人だと信じているとも伝えている。そして最後には、互いの性質が違うので今後も喧嘩をする可能性があること、それでも志賀の進む道を尊敬することを忘れない心算だと綴っている。

ここに「君は君　我は我なり　されど仲よき」とのちに書くことになる実篤の経験がある。志賀がいたからこそ、実篤はこの考えが大切なものだと気づくことができた。志賀も実篤の批評に耳を傾け、それをたよりにした。そしてその後は、お互いが現状の自分を認め、友情を育みながら成長していく。

実篤がまだ大学にいたころ、学習院で「人間の価値」という演説をしたことがある。現状の自分を認め、思い通りにならないことにも腹を立てずに努力をする。他人と比べて嫉妬することなく、自らの成長を第一に考えた。それは幾多の善人の伝を読むことで身についた考えだという。ことを成したいずれの人物も、頑固で所信を曲げることはなかった。これが現代において必要なことだと考えた。遮るものをすべて破って進むのは楽なことではないとはいいながらも、実篤自身はそれを目指した。そして自分と同じようにその努力を惜しまぬ者には、心からの賛辞を贈り、信頼関係を築こうとした。実篤にとって、それぞれの良いところを認めて切磋琢磨することは、競い合うこととは違っていた。

さて、縁あって拙宅に掛かる「君は君　我は我なり　されど仲よき」（図版）の短冊は、一行で書かれているのに随分右端に寄っている。もう少し中央に書けばバランスがいいのにと日々思っていた。

ところがあるとき、記念館で彼の小説原稿を見ていると、升目の右側に合わせて文字を小さく書き進めていることに気がついた。右側の罫線をたよりにまっすぐ書いているつもりなのだろうが、結果的に升目の左側は一直線に空間があいてしまう。けれども、それこそが実篤らしい書きぶりだった。

実篤の短冊の書もまた、彼の原稿用紙の使い方と同じ特徴がある。バランスを取るという感覚はあまり認められない。そこに気づいてから、バランスを取るのが書道と信じていた私とははるかにかけ離れた存在の人として、その書がより魅力的に感じられるようになっている。

「龍となれ 雲自づと来たる」

実篤が遺した作品のほとんどは自らのことばを書いたものだった。他人のことばを書いたものに『論語』の一節「和して同ぜず」などもなくはないが、これは孔子の考えにいたく共感したためであり、生涯愛したことばだと本人が語っている。

最後に取り上げたい書は、画家の中川一政に頼まれたのをきっかけとして書いたものである（図版）。

中川ははじめ「龍となれ雲来たらん」と書いてほしいと依頼した。しかし実篤はそのまま書かず「龍となれ雲自づと来たる」と直した。龍となるほどの研鑽を積めば、雲は自然と集まってくるものだと、そのいい回しを改めた。雲への安易な期待ではなく、確信の意味として書いた。

この例でもわかるように、実篤は人のことばをそのまま鵜呑みにするこ

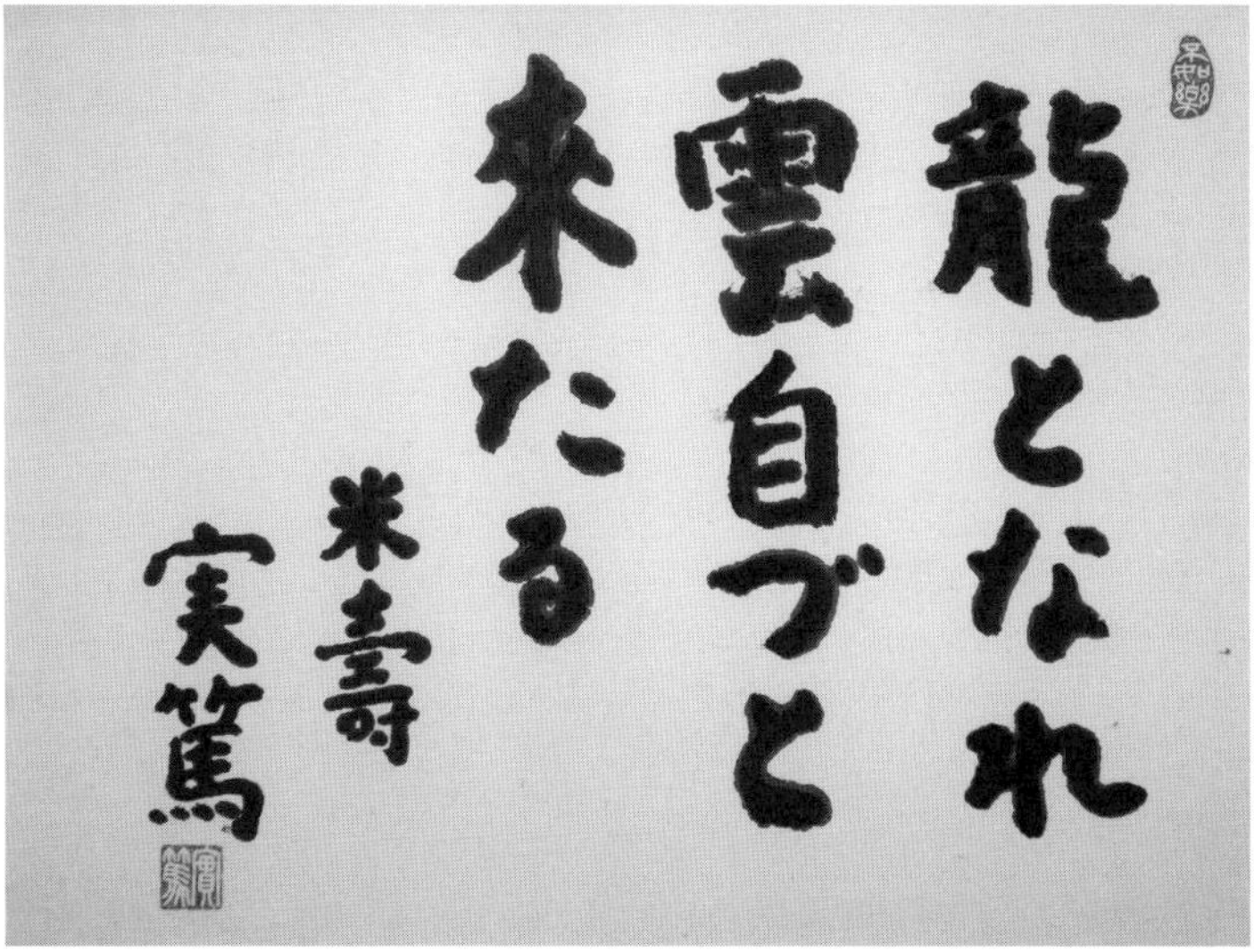

「龍となれ雲自づと来たる」

となく、必ず自分のなかで消化してから書いたのだった。伝記小説もたくさん書いた実篤が、とくに気をつけていたのは偉い人を書けばいい作品ができるというのは間違いだということ。どこまでいっても自分の鏡に映る面しか書くことはできず、自分に正直になることが肝要だということだった。

自伝小説『彼が三十の時』（工人社）のなかで実篤は、書いた人間のそのときの精神が、見る人に触れるのだといい、それを忘れて技巧を弄したものは人の心には触れないということを書いた。そして彼は、それを「血で書く」と表現した。

文墨の世界に没頭するのが何よりの楽しみであった実篤。その熱意は硯でさえも耐えきれずに穴が空いた。書も絵も、技術が卓越しているとはお世辞にもいえない。けれども「此道より行く道なし此道をゆく」とまで悟った彼は、私が知るかぎり誰よりも書画を愛した人物だった。

絵と詩が、そして、書とことばとが合わさったときに、武者小路実篤でしか有り得ない世界が醸し出される。それは誰かに認められるために筆をとっているわけではないからでもある。実篤の書く字に造形上の奇は一切認められない。脚色にまったく興味がないのだ。何を書くか、そしてそれをいかに正直に、そして丁寧に書くかだけだった。その現れとして示せるものが、実篤の変体仮名を一切使わない書、そして、落款の変化である。

実篤が生きた時代は、周囲が目まぐるしく変化していった時代だった。それでもそれを受け入れながら、同じ時代に生きる人々に向けて雑誌を発刊し、小説を書いてきた。実篤が書いた伝記小説に登場する偉人たちも、自分ができることを精一杯やり、そして社会に貢献していった。

実篤が小説のみならず、決して早くはない年齢ながらも画筆をとったのは、偉人たちと同じように自分がやるべきことが自然とわかったからだろう。

それは自己表現のための藝術とは違ったものだった。自分の経験から自然と溢れ出たことばを書くこと、その理想が形となって現れている自然を描きつづけることが、実篤のやるべきことだった。その仕事に周囲が自然と協力し、各地で展覧会が催された。

そして、八十歳になるときには落款を、旧字体の「實篤」から新字体の「実篤」に改めた。書き慣れた名前ですら、より平易に飾らぬ気持ちで書いたのである。自分の言葉に責任を持ち、それを明確に伝えるために変体仮名を一切使わなかった。
誰もが読めるように平易に書いた実篤の作品は、上手に書こうという意識を超越したところにあった。その飾らぬ姿勢こそが実篤の書の魅力であると、私は思う。

戦後の書壇について

戦後、六十代の実篤は、午前は執筆、午後は書画を制作するというのが日々の過ごし方だった。すでに文壇の大御所だった実篤に衰えは見えず、一九四八年、新たに雑誌『心』を創刊した。一方、日本芸術院主催として日展に「書」が新設されたのも、この年だった。

ここで日本の書の進み方の一例として、戦後という時代における書壇の動きにも目を配ってみたい。私は東洋書道協会から発行された雑誌『書品』をもとに、座談会を中心とする書家たちの発言を集めてみた。戦後の日本国は、大衆社会を目指した。書道もその流れに乗り、大規模な公募展や、書塾が多く開かれるようになる。

また、豊道春海が日本芸術院会員に選ばれたことで日展に書が加わることになった。「第五科　書」と定められたこの名称が「書道」ではなかったことは、戦後の書が美術としての動きを模索していこうという意志の表れとして見ることができる。そしてその最たるものが前衛書だった。上田桑鳩を中心とするこの動きは一定の評価は得られつつあったが、すでに『書品』第一号で、金子鴎亭が「誰にも共感を得られない冷たい孤独に陥るおそれがある」と警鐘を鳴らしている。

「近代藝術」「近代感覚」をテーマに、各々が理想とする表現を試みてはいたが、予期せぬ課題が浮かび上がってきた。それは「日展型」というものが無言のうちにでき上がりつつあるというものだった。青山杉雨が噂話として耳にしたということの問題は、当初目指したものに反することがらだった。『書品』第二十三号の座談会ではこの問題を取り上げ、「行書をやると入賞の可能性が多いという現実」（金子鴎亭）、「腕を見せようという作品が多く、作品を見せようという態度が少ない」（手島右卿）、「入選の目的のためには非常に安全な形に出来ている」（青山杉雨）などと、出品者のなかで入選を目的にした作品づくりが行われている実情を嘆いている。

　それを受けて、戦後の書壇を牽引した西川寧を含めた四人が、それぞれ書作品を制作するにあたって重要視することがらについて語っている。その発言を次に抜粋する。

——僕は字というものに、藝術として許される面があるならば、そこに造形性というものが考えられて、はじめて藝術性も考えられるのだと思うのです。そうなるというと先ず自分の表現というものをもう少し固めたい、これは常に変化するものですから、出来上ったという時はあるものじゃありませんけれども、一応今の足の下の踏段はこれである。（西川寧）

——僕は書を書く場合は文字を書くべきだと思う。しかしてその書かれる文章というものを僕はあまり重要視していない。寧ろ僕は文字そのもののもっているところの美しさというものに私のやっている書道はささえられているので、文章の内容というものから余り影響をうけていない。いい換えればそれでは文章を書かないで文字だけ書いていればいいのかというと、そういう飛躍した考え方も肯定出来ると思う。（青山杉雨）

——僕は大それた考えを持っておりまして、線というものの中に暖かさというものを感ずる、人間の思想感情というものを線で現わす、そういうことをいうのです。（手島右卿）

——どうも私は書は文字性というものを

失ってはいけないと思う。ところが文字性をどこまでも書の限界として考える場合には、現在の人に読めるものが自然と好まれて来る。ただ楷書と仮名、隷書と仮名がマッチしないというところにいろいろな問題があると思う。この問題は何時かの時代には解決していかなければならぬ問題でしょう。そうでなければ大衆がついて行かないで、結局われわれは月の中に住む人々になってしまうと思います。（金子鷗亭）

はたして書は、自己表現のための造形性か、それとも文字そのものの造形か、はたまた線か、いや文字性を主とした書体の調和か。

ここでわかることは戦後の書壇を牽引してきた書家たちが、それぞれ違った価値観をもって自己の表現を試みたこと、けれどもその根底には一貫して視覚効果を期待した「造形」というものが重要視されているという点である。出品者にとっては造形のための技術の修練こそ書の表現だとして理解された。

書において、その表現の一面に造形性があるのは認められるが、造形が第一となった場合には、書く素材の選定は文字の配列によって左右される。したがって、内容を重視しなくなった作品には、書き手の思想が希薄になる。

ついには日展第五科八回展の反省

として、松井如流が「今年の審査員の顔触れを見て、それに媚びた作品をつくろう、その審査員の好みに近いものでうまく取入ろうという傾向があるように感ずる」（『書品』三十六号）と述べるに至った。

おわりに

戦後という時代は「近代藝術」を強く意識せざるを得ない時代だった。書道振興を目的に歩んだ書壇は、公募書道展の隆盛に尽力した。そして同時に、全国に多くのレッスンプロを生んだ。

　私もその流れのなかの一人といえる。経験を通していえば、書を職業とした場合、どうしても技術を指導することに力点が置かれる。書かれた内容も当然紹介はするが、書の部分的な一面だけで仕事をしてしまっている。

　しかし時代を振り返って見たときに、武者小路実篤のように、時代の潮流に引き込まれることがなかった者たちの、純粋な仕事もたしかにあった。書壇の人々が書を大衆化するために「造形」を打ち出していたころ、実篤は自分のことばを飾ることなく正直に書くことで、自然発露の美を目指していた。また、貨幣価値とは無関係な世界で文墨に没頭できたのは、書画が好きで好きでたまらなかったからだとわかった。

私は、それこそが何物にも代え難い原動力だということを実篤から学んだ。そしてその人そのものも自然と知りたいと思い、全集をすべて読んだ。その収穫はただ一つ、現時点ではどれ一つとしてかなわないことの自覚であった。

これからは実篤の書に少しでも近づけるように、内に力がこもるよう丁寧に書をしたためたい。

そのためにはまず、自分のことばを真面目に書くところから始めてみたいと思う。

おわりに

桜木を砕きて見れば花もなし花をば春の空ゆもちくる

花が咲く前に、桜の木を切ってみても、そのなかに花の姿はない。しかし春が訪れれば、自然と花は咲く。それは春の空が持ってきたのではないかと、一休宗純はこの和歌でそうたとえた。条件が整えば自然と花は咲く、そんな当たり前のことを気づかせてくれる一首だった。

「私が指を差したら、私の指を見るのではなく、私が差しているところを見よ」といったのは神経生理学者で詩人のウォーレン・マカロックだったが、本書に登場した人物たちの書は、まさに指差された先にその魅力があるものばかりだった。書のかたちや技巧にばかり目を奪われることなく、書き手の美学を知る良いきっかけのひとつとして書はある。

ところで本書は副題として「近代藝術家の美学」といれたが、「藝術」の「藝」を「芸」でなく、「藝」とした。本来ならばすべて新字体を用いるべきではあるが、ここに特別な意識を加味したかったがためにあえてそうした。「藝」という字は本来「ものを植える」の意味を示し、人間精神において内的に成長していく価値体験を植えつける技を表す。一方、「芸」は音読みで「ウン」、訓読みでは「くさぎる」とし、読み通り「草を刈り取る」さまを表した。「藝」の原意とは正反対の意味を持つ漢字を、当用漢字では割り当てた。残念ながらわれわれはこの制度のもとに育ったため「芸」の字で本来の「藝」の意味を理解するほかないが、本書では意図的に戻した。

古代中国では学問の中心にあったのは儒学の経典「四書五経」であり、そのうちのひとつ『周礼』には、貴族の子どもが通う学校では「六藝」が教えられていたとある。これは立派な紳士になるために是非身につけておきたい六種類の教養科目のことで、「礼（作法）・楽（音楽）・射（弓術）・御（馬術）・書（文字）・数（算数）」を指し、これらを総じて「藝」と表した。ここに「ものを植える」の「藝」をあてたのは、人にまだ幼いころからすぐれた教育をあたえれば、その人物の精神に豊かな教養が芽生え、やがて花が咲くことを示したかったからだろう。

さて、この意味において藝術とは「生命への復帰の現象」だといったのは、『美について』（講談社現代新書）の著者、今道友信だった。今道によると、古代ギリシャではテクネー（今日のテクニックの原語）ということばで藝術を表していたという。しかし、何かが作り出されさえすればよいわけではないという考えから、とくに人間の力、それも真の意味で価値を実現しうる創造的な力こそ藝術だとみて、ギリシャ人はポイエーシスすなわち「創造」ということばをこれにあてようとした。つまり、実用的効用とは異なるため「技術」というものと区別しようとしたのだった。

また、音楽や舞踊や詩などの流動的で捉えがたい神秘的現象については、神話に登場する九柱のムーサと関わりのあるものという意味で「ムーシケー（今日のミュージックの原語）」と呼んだ。そしてこれらを、ラテン語の世界でも単なる「技術」という意味の「アルス（今日のアートの原語）」から区別して、自由なる人間に属するという意味で「自由藝術（リベラルアーツ）」という語を作り、そのなかに学問とともに音楽のような藝術をも含ませたという歴史があった。つまりは東洋であれ西洋であれ、つねに人間の成長および表現の自由を主眼としていたことを知る。そして今道は、これら藝術作品との向き合い方について次のように語る。

――われわれは一つの作品を精神の場所として、あるいは足場として、その作品がさし示している美に向かってわれわれの精神を飛翔させるのである。このことは、とりも直さず、作品を介して超越的な美が会得されて来ることであるから、また、作品において美がわれわれに自己を開示するといってよい。

要するに、その作品が指し示している先を見ようとする行為が大切で、それ自体の正否にかかわらず、われわれの精神は向上するという。さらには、文化というのは伝達されるものではなく、点火されるのみだと今道はいった。「火を点じられても、自ら燃えないものは炎を出すことができない。文化は受け取られる情報ではなく、自ら燃え立つ力である」との指摘は、ただ型を受け継いで満足することの危うさを示している。

したがって、本書に登場する書に対して、私はその筆者の思想も含めて心動かされたために取り上げたが、その書をけっして真似しようとは思わない。というより、真似してはいけないと思っている。あくまでも彼らが指し示した先を見ることで、自らの藝術活動に生かそうとするのである。

おわりに、私がこの執筆を通して気づいたこと、彼らに共通する視線というのは、いつの時代も変わることのない真理を追究しつつ、その眼差しをもって誰もがわかりやすい表現をしたことではなかったか。いうなれば、「不変を追究し、普遍の表現を」している。本書に登場したいずれの人物たちも、それができたからこそその書は輝いて見えた。自らの体験によって浮かび上がったこのことばを、まずは大切に書き留めたいと思う。

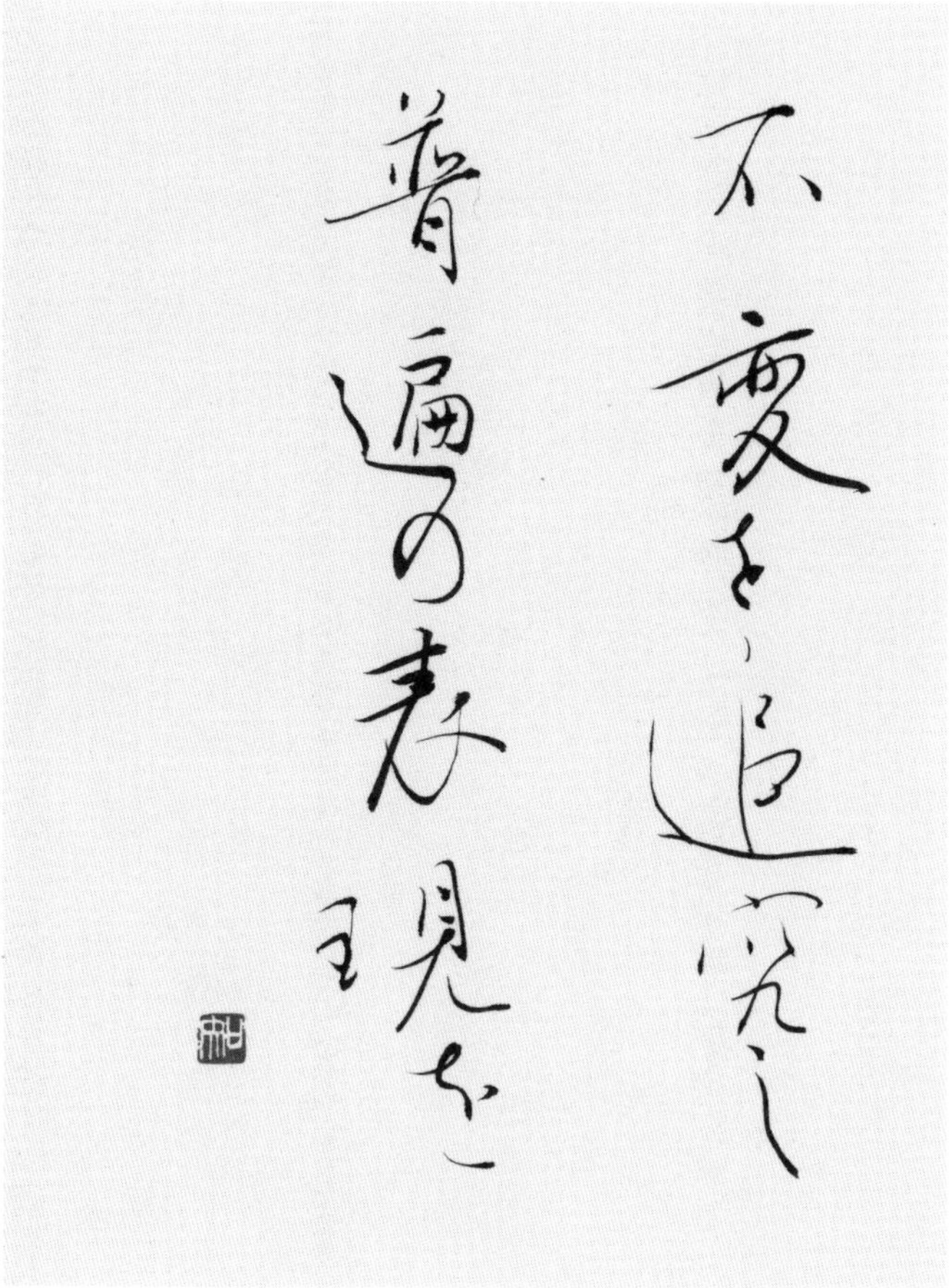
不変を追究し
普遍の表現を
王

書家◉根本　知《ねもと・さとし》

平成25年、大東文化大学大学院博士課程修了。博士号（書道学）取得。

現在、大東文化大学文学部書道学科、放送大学教養学部人間と文化コース、大東文化大学第一高等学校、日本橋三越カルチャーサロンなどで教鞭を執る。

テレビ・雑誌でも活躍中。

協力
阿曽美術
豊島区立熊谷守一美術館
愛知県美術館
公益財団法人　日本民藝館
静岡市立芹澤銈介美術館
花巻市高村光太郎記念館
調布市武者小路実篤記念館

書の風流

近代藝術家の美学

二〇二一年一月三十一日初版第一刷発行

著　者　根本　知
発行者　伊藤良則
発行所　株式会社 春陽堂書店
郵便番号一〇四-〇〇六一
東京都中央区銀座三-十-九 KEC銀座ビル
電話番号　〇三-六二六四-〇八五五（代）
デザイン　山口桃志
印刷・製本　ラン印刷社

ISBN 978-4-394-90378-9 C0095